LES ANGES
ET LES LIENS
KARMIQUES

Catalogage avant publication de Bibliothèque et Archives nationales du Québec et Bibliothèque et Archives Canada

Anges de la lumière (Esprit)
  Les anges et les liens karmiques
  «La bible des anges, tome 3».
  ISBN 978-2-89436-401-7
  1. Écrits spirites. 2. Anges - Miscellanées. I. Flansberry, Joane,
1960-   . II. Titre. III. Titre : Bible des anges. Tome 3.
BF1290.A5522 2013   133.9'3   C2013-942127-0

Nous reconnaissons l'aide financière du gouvernement du Canada par l'entremise du Fonds du livre du Canada (FLC) pour nos activités d'édition.

Nous remercions la Société de développement des entreprises culturelles du Québec (SODEC) pour son appui à notre programme de publication.

Gouvernement du Québec – Programme de crédit d'impôt pour l'édition de livres – Gestion SODEC.

Infographie de la couverture et mise en pages : Marjorie Patry
Correction d'épreuves : Michèle Blais

Éditeur : Les Éditions Le Dauphin Blanc inc.
        Complexe Lebourgneuf, bureau 125
        825, boulevard Lebourgneuf
        Québec (Québec) G2J 0B9 CANADA
        Tél. : 418 845-4045   Téléc. : 418 845-1933
        Courriel : info@dauphinblanc.com
        Site Web : www.dauphinblanc.com

ISBN : 978-2-89436-401-7

Dépôt légal : 4ᵉ trimestre 2013
            Bibliothèque nationale du Québec
            Bibliothèque nationale du Canada

Imprimé au Canada

Limites de responsabilité

L'auteure et la maison d'édition ne revendiquent ni ne garantissent l'exactitude, le caractère applicable et approprié ou l'exhaustivité du contenu de ce programme. Ils déclinent toute responsabilité, expresse ou implicite, quelle qu'elle soit.

Joane Flansberry

LES ANGES ET LES LIENS KARMIQUES

La Bible des Anges
Tome 3

Le Dauphin Blanc

Autres livres de Joane Flansberry aux Éditons le Dauphin Blanc:

La Bible des Anges, 2008

Les Anges au Quotidien (Bible des Anges 2), 2009

Questions humaines, Réponses Angéliques, 2010

Prédictions Angéliques 2011,

Soins Angéliques – L'Amour, 2011

Prédictions Angéliques 2012

Soins Angéliques – L'Argent, 2012

Agenda Angélique 2013

Prédictions Angéliques 2013

Agenda Angélique 2014

Prédictions Angéliques 2014

Je dédie ce livre à ma mère, Pierrette Lesage.
Elle est le noyau familial de notre famille terrestre.
Grâce à son amour, elle a su unifier sa famille et la rendre solide.

Memère, tous tes enfants, tes petits-enfants
et tes arrière-petits-enfants t'adorent.
Il suffit de regarder la lueur dans leurs yeux en ta présence.

Merci à Dieu de nous avoir donné cette mère.
Puisse-t-Il continuer de veiller sur elle.

Je t'aime, Mom.

Table des matières

Remerciements

Tous ceux que j'aime et qui me soutiennent dans ma mission de vie, je tiens à vous remercier tendrement. Votre soutien est important à mes yeux. Je ne suis pas toujours présente ou disponible à cause de mon horaire chargé. Toutefois, à tous les jours, je remercie Dieu et les Anges de vous avoir mis sur mon chemin.

Merci à mon papa, Théo, nommé si chaleureusement « pepère Berry ». Je t'aime beaucoup et je te remercie de bien prendre soin de mon « Gisgi » adoré! Tu ne le démontres pas, mais je sais que tu t'inquiètes toujours pour tes enfants et que tu es fier d'eux! Tu as su nous montrer le respect et la franchise entre nous; sache que tu as bien réussi. Tes conseils judicieux m'ont permis d'être qui je suis aujourd'hui. Je suis également consciente que mon côté visionnaire vient de toi! Pa, merci d'être là et merci de nous aimer. Merci de m'avoir donné un frère et deux sœurs, je les adore. Jean (Johnny) prend soin de ses sœurs. Il fait son possible pour nous voir heureuses. Linda (Dada) s'inquiète pour tout le monde et nous appelle continuellement pour vérifier si tout va bien! Et la toute dernière, qui s'est fait attendre pendant dix ans avant d'être parmi nous, notre bébé Nancy (Nan la banane), est notre rayon de soleil. Il est impossible de ne pas l'aimer.

Papa et maman, vous avez su nous aimer à votre manière, vous avez rempli nos cœurs d'amour et de tendresse. Il est donc facile pour nous de propager l'amour aux autres. Je suis fière de ma famille terrestre et je souhaite cheminer à nouveau avec elle, lors de ma prochaine incarnation! Pepère, je te fais un gros câlin rempli d'amour et de tendresse!

À ma fille Mélissa, merci de m'avoir soutenue tout au long de l'écriture de ce livre. Ton aide fut grandement appréciée. Je t'aime, ma petite Méli d'amour.

À ma fille Véronique, qui s'inquiète continuellement pour sa « meuman ». Sache que Mom t'aime et je te promets que je vais prendre soin de moi et écouter tes précieux conseils!

À mes amours, Charles et Lukas, mes petits rayons de bonheur. Grand-maman vous adore.

À mon amoureux, qui sait me réconforter lorsque je suis fatiguée, je t'aime. Merci « Gisgi » d'être là pour moi et ma famille.

Mot de l'auteure

Par ce livre, je souhaite vous transmettre des informations au sujet des liens karmiques qui vous unissent aux membres de votre famille, plus précisément de votre famille d'âmes.

Le terme « famille d'âmes » représente un groupe d'individus qui cheminent ensemble dans le but d'élever le niveau de spiritualité des âmes qui forment cette famille. Souvent, ces êtres se sont côtoyés dans plusieurs autres vies. Ils se réincarnent dans les mêmes familles d'âmes parce que les vibrations leur sont familières, leurs désirs d'atteindre une plénitude de vie sont communs et les liens karmiques qu'ils ont formés se sont resserrés au fil du temps.

Le terme « lien karmique » désigne une force d'attraction, de nature positive ou négative, qui existe entre deux individus qui cheminent ensemble depuis plusieurs vies. Un lien karmique se renforce à travers les incarnations et peut être bénéfique ou défavorable.

Ce sera le propos de ce livre : l'influence et la compréhension des liens karmiques. Cette connaissance vous aidera à renforcer vos liens positifs ou à mettre un terme à ceux qui nuisent à votre bien-être. Plus vous comprendrez ces liens, plus vous serez en mesure d'apporter les changements nécessaires afin de jouir d'une tranquillité d'esprit, d'être bien dans votre peau et de vous sentir en contrôle de votre vie.

Au fil des pages, vous pourrez analyser votre propre famille d'âmes et tenter de comprendre les liens karmiques qui vous unissent, et ce, en réalisant votre arbre personnel. À l'aide de cet arbre, il vous sera possible de comprendre pourquoi vous vous entendez bien avec certaines personnes et moins bien avec d'autres.

Je vous souhaite une bonne lecture.

Joane

Introduction

Comment différencier les termes « famille d'âmes » et « liens karmiques » ?

Une **famille d'âmes** représente un groupe d'âmes qui cheminent ensemble depuis plusieurs siècles. Lorsque les membres d'une famille d'âmes sont sur Terre, ils s'entraident mutuellement afin que chaque âme puisse accomplir positivement son plan de vie. Le lien qui unit chacune des âmes entre elles est indéfinissable. Ce sont des liens solides, des liens d'appartenance à un groupe. Ces âmes ont besoin les unes des autres pour accomplir leur plan de vie. Elles sont heureuses lorsqu'elles sont rassemblées. Elles se sentent protégées, aimées et respectées. Tels sont les sentiments qu'éprouvent les membres d'une famille d'âmes lorsqu'ils se côtoient.

Ces âmes forment un noyau familial. Elles sont solides et elles s'entraident mutuellement. Elles sont très proches les unes des autres. Elles forment en quelque sorte une équipe. Elles protègent leur noyau familial ; elles ne laissent pas facilement quiconque s'infiltrer dans ce noyau. Elles vont d'abord évaluer l'aspect intégral de la personne avant de lui permettre de se joindre à leur noyau. Le respect, la confiance et l'entraide doivent faire partie des qualités de ceux qui cherchent à intégrer ce noyau.

Les êtres d'une famille d'âmes cheminent ensemble. Lorsqu'ils se réunissent, ils se nourrissent mutuellement. Lorsque vous côtoyez les membres de votre famille d'âmes, vous passez du bon temps en leur compagnie. Le rire, la joie et l'amour sont présents. Il n'est pas obligatoire que votre famille d'âmes soit votre famille terrestre. Certaines âmes choisissent de s'incarner dans une famille en particulier pour mieux cheminer ou pour aider d'autres âmes à trouver leur Lumière. Généralement, les êtres qui composent une famille d'âmes sont proches au niveau des familles angéliques; ils occupent des Chœurs Angéliques qui se complètent.

Un **lien karmique** représente un accord entre deux personnes. L'une des âmes a accepté ce lien dans le but d'évoluer. Les liens karmiques sont reliés au plan de vie de l'être humain. Vous pouvez avoir un lien karmique avec une personne sans toutefois qu'elle fasse partie de votre famille d'âmes. Certains liens karmiques seront d'une durée temporaire ; d'autres dureront plusieurs années. Certains liens resteront gravés dans votre mémoire à tout jamais, tandis que d'autres vous rendront la vie si difficile que vous serez soulagé lorsqu'ils se termineront!

Un lien karmique permet autant à l'une des personnes comme à l'autre de soutirer quelque chose de bénéfique. On apprend beaucoup à travers un lien karmique. La leçon peut parfois être très pénible, compliquée ou difficile. Toutefois, vous grandissez à travers ce lien. Vous apprenez de vos leçons. Si vous ne comprenez pas immédiatement la raison qui vous unit à une personne en particulier, ne vous inquiétez pas. Un jour viendra où tout sera clair dans votre tête et vous comprendrez mieux ce lien. Vous ressentirez alors moins d'amertume face à ce que vous aviez vécu avec cette personne.

Il y a également des liens karmiques qu'on peut créer soi-même par défi. Toutefois, ces liens peuvent parfois être pénibles pour l'être humain. Certains liens causeront un vide intérieur, s'ils ne sont pas accomplis ou vécus. Parfois, il vaut mieux les briser pour pouvoir mieux vivre sa vie actuelle.

Tous les êtres humains ont un lien karmique avec leur Ange personnel et leur Ange de la Lumière. Ainsi, votre Ange de la Lumière et le Chœur dans lequel vous cheminez sont importants. Ils sont reliés à votre plan de vie. Il est donc important d'apprendre à mieux connaître les forces et les missions de votre Ange et du Chœur angélique auquel vous appartenez puisque ils joueront un rôle prépondérant dans votre vie.

Les liens karmiques qui vous unissent à vos proches sont également importants. Pour mieux comprendre si l'un de vos proches fait partie de votre famille d'âmes ou s'il s'agit plutôt d'un lien karmique, je vous suggère de bâtir votre arbre personnel tel que vous l'apprendrez au fil des pages. Par la suite, il vous sera plus facile de comprendre le rôle de chacun des êtres dans votre vie. Si vous réalisez qu'un proche ne vous apporte que du négatif et qu'il vous empêche d'être heureux, alors il ne fait certainement pas partie de votre famille d'âmes. Vous êtes lié à cette personne par un lien karmique. Si vous parvenez à identifier ce lien, vous parviendrez à vous libérer de l'emprise qu'exerce cette personne dans votre vie.

Exemple d'un lien karmique

Une femme fait la rencontre d'un homme. Ils tombent amoureux l'un de l'autre et, avec le temps, ils unissent leur destinée par la venue de deux enfants. Par la suite, l'homme décide de mettre fin à la relation, ce qui s'avère très pénible pour la femme. Toutefois, avec le temps, elle réalise qu'ils n'étaient pas faits pour vivre ensemble. Ils étaient totalement à l'opposé l'un de l'autre. La femme en vient même à se demander : « Mais comment se fait-il que je sois tombée amoureuse de lui ? » Avec le temps, elle retrouve le bonheur, tout comme son ex-partenaire de son côté. En fait, leur lien karmique était les enfants. Il peut y avoir mille et une raisons pour lesquelles l'homme a été choisi pour être le père des enfants. Néanmoins, bien que la relation soit terminée, les deux partenaires sont parvenus à réaliser ce lien karmique.

Partie I

FAMILLES D'ÂMES

CHAPITRE I

Explication du terme « famille d'âmes »

Une famille d'âmes est un groupe d'êtres humains qui cheminent ensemble depuis des siècles et des siècles. C'est une famille créée par Dieu. Au commencement, Dieu a donné la Terre à des êtres humains afin qu'ils puissent bénéficier de ses créations. Une première famille d'âmes (A) s'est ainsi formée. Après leur séjour sur Terre, ces âmes sont revenues vers Dieu pour se reposer. Pendant cette période de repos, d'autres âmes se sont incarnées, formant ainsi une autre famille d'âmes (B). Une fois leur travail accompli, la plupart de ces âmes sont retournées vers le Royaume de Dieu. Les autres, celles qui ont choisi de ne pas se reposer, sont retournées sur la Terre en compagnie d'âmes de la première famille (A), pour former une nouvelle famille (C). Et ainsi de suite jusqu'à ce que certaines familles reviennent constamment ensemble. C'est de cette façon qu'elles se sont créées et renforcées. On parle alors de fusion de famille d'âmes. Au fil des siècles, les âmes qui se réincarnent ensemble se solidifient, et ce, parce qu'elles cheminent ensemble depuis très longtemps. Elles sont devenues inséparables, et c'est la raison pour laquelle elles cherchent continuellement à évoluer ensemble, donc à venir sur Terre en même temps.

Noyau familial

Une famille d'âmes est solide puisque chacun des individus est lié à l'autre pour former un tout, un noyau qui se tient. Tout comme une graine que l'on plante dans la terre, grandira et s'épanouira si on la nourrit de tous les bons éléments favorisant sa croissance, la famille d'âmes joue le rôle de jardinier pour un individu; elle lui apporte tout ce dont il a besoin afin de s'élever spirituellement. Par sa solidité, le noyau familial nourrit tous les membres de la famille d'âmes, jusqu'à rendre la Lumière à quelqu'un qui s'est égaré. À travers votre famille d'âmes, vous tissez continuellement des liens, et ces liens forment une chaîne, une unité. Mais parfois, un maillon de la chaîne peut se briser. Lorsqu'il se brise, tous les autres maillons se mettent ensemble pour le réparer. L'Ombre s'amuse à briser les maillons d'une chaîne, d'une famille d'âmes. Toutefois, les membres de la famille d'âmes forment ensemble une Lumière si puissante qu'ils peuvent chasser l'Ombre et ramener tous les membres égarés vers leur Lumière.

Ainsi, un noyau familial est très puissant au niveau énergétique. Étant donné que les membres sont venus pour s'entraider mutuellement, et ce, afin d'atteindre le sommet plus rapidement, ils ne laisseront pas entrer qui que ce soit dans leur cercle énergétique. C'est pourquoi il y aura de la discorde à propos d'un individu en particulier qui n'a pas la même vibration énergétique que la famille d'âmes. Souvent, les chicanes familiales seront de nature vibratoire. Par exemple, le nouveau conjoint d'une personne ne sera pas accepté par beaucoup de gens dans la famille, ou les enfants de la nouvelle conjointe n'apporteront que des disputes au sein de la famille.

Sur Terre, une famille d'âmes est généralement composée de plusieurs individus. Certaines familles d'âmes peuvent s'étendre sur des kilomètres, tandis que d'autres sont plus petites mais tout autant énergétiques. Les membres d'une famille d'âmes se complètent mutuellement. Qu'il y ait un grand nombre d'individus qui la composent ou non, le plus important est les liens énergétiques qui se construisent. Ils se nourrissent ensemble. Vous pouvez avoir seulement votre famille et être heureux, ou vous pouvez avoir un seul ami et être heureux avec cet ami. Ce que l'un apporte à l'autre est important. Ils se suffisent l'un à l'autre.

Il existe un très grand nombre de familles d'âmes, mais pourtant pas autant que vous pourriez le penser. Dieu instaure plutôt de nouvelles connaissances dans les vieilles familles d'âmes, car il sait que celles-ci ont de l'expérience et qu'elles pourront mieux accomplir la mission qu'Il leur confiera. Il n'y a donc pas de création continuelle de famille d'âmes, mais plutôt des ajouts de membres en fonction de leurs expériences de vie terrestre.

On ne peut pas se séparer de notre famille d'âmes. Le lien qui nous unit à cette famille est indestructible. Les limites terrestres ne représentent pas un obstacle aux membres d'une même famille d'âmes, en ce sens que peu importe où ils se trouvent sur la planète, ils trouveront un moyen de se retrouver, d'être à nouveau ensemble. On a besoin de ces âmes. Elles sont notre source de vie lorsqu'on est sur Terre. Un exemple qui traduit bien ces propos est l'adoption d'enfants dans d'autres pays.

Ainsi, une famille d'âmes n'est pas nécessairement composée d'individus du même sang. Une famille d'âmes n'est pas nécessairement celle terrestre. Des individus provenant de différentes familles, ethnies ou religions peuvent faire partie d'une même famille d'âmes. Ce sont les liens karmiques qui les unissent les uns aux autres. Les membres d'une famille d'âmes sur Terre n'ont pas besoin d'être continuellement ensemble. La pensée seule suffira à les réconforter. La solitude ne leur fait pas peur, car ils savent que s'ils prennent contact avec un des membres de leur famille d'âmes, cela remplira le manque ressenti.

Comment reconnaître un membre de votre famille d'âmes?

Un membre de votre famille d'âmes est très facile à reconnaître. Lorsque vous êtes ensemble, vos pensées sont identiques. Vous pouvez dire un mot en même temps ; vous rejoignez sa pensée. Par exemple, vous pensez à une situation et, au même moment où vous vous apprêtez à en parler, le membre de votre famille d'âmes parlera de ce que vous vous apprêtiez à dire, et ce, sans que vous ayez eu le temps de placer un mot. Vous avez une chanson en tête, vous la fredonnez tout doucement à l'intérieur de vous, et le membre de votre famille d'âmes commencera aussi à la fredonner à voix haute. Ces petits exemples sont des situations qui vous démontrent que cette personne, qui lit ou capte vos pensées, fait partie de votre famille d'âmes. Si vous vivez une situation semblable, cela signifie que vous êtes très lié avec ce membre et que vous cheminez ensemble depuis plusieurs vies.

De plus, il est important d'ajouter que les membres d'une famille d'âmes ne se limitent pas essentiellement aux membres de votre famille terrestre. Parfois, votre famille d'âmes s'étend au-delà des limites physiques. Il peut s'agir d'amis, de grands-parents, de voisins ou de cousins dans cette vie-ci. Ou même d'un frère ou d'une sœur dans une autre vie qui se repose en haut pendant que vous êtes ici-bas.

Retrait d'une famille d'âmes

Il arrive souvent que des personnes peuvent se sentir seules au sein de leur famille terrestre. Ceci indique probablement que les autres membres de sa famille d'âmes lui manquent. Peut-être ne se sont-ils pas réincarnés en même temps qu'elle... Il y a plusieurs raisons qui peuvent expliquer cette situation, mais la plupart de temps, la cause est le taux vibratoire qui n'est plus à l'unisson.

En premier lieu, il se peut que l'énergie vibratoire (la Lumière) de la personne se soit assombrie et qu'elle ne puisse plus faire partie de son ancienne famille d'âmes. Le niveau vibratoire des autres membres est alors devenu trop élevé pour elle. Cette personne aurait eu trop de difficulté à cheminer avec les autres membres. Pour poursuivre son cheminement, elle s'est réincarnée au sein d'une autre famille d'âmes ayant un niveau vibratoire plus faible, une famille d'âmes qui saura l'aider à retrouver sa Lumière. Ça ne sera pas facile pour cette âme au sein de cette nouvelle famille d'âmes. Lorsqu'elle s'incarne dans une nouvelle famille d'âmes, une âme peut avoir de la difficulté à fusionner avec les membres de sa propre famille terrestre. Elle cherche sa première famille d'âmes. Elle cherche son lien et parfois elle ne le trouve pas. Il faudra alors que cette âme fasse ses preuves au sein de sa nouvelle famille. L'âme doit démontrer qu'elle fait un effort pour retrouver sa Lumière afin de réintégrer son ancienne famille d'âmes, de retourner auprès des siens. Parfois, deux membres provenant d'une famille d'âmes se réincarnent ensemble dans une autre famille. Le lien qui existe entre ces deux êtres sera plus fort que tout autre lien avec une âme de la nouvelle famille. Ils seront toujours ensemble et ils auront parfois de la difficulté à s'adapter aux autres membres de leur nouvelle famille.

En deuxième lieu, il est possible qu'une personne ait choisi de revenir sur Terre pour aider un des membres de sa famille à retrouver sa Lumière et ainsi réintégrer sa première famille d'âmes. Certaines personnes viennent donc pour aider un membre de leur famille d'âmes, et ce, afin qu'il ne se sente pas trop seul durant ce laps de temps sur Terre, sans les siens. Souvent, ces âmes ne désiraient pas vraiment revenir sur Terre, mais elles le font par amour. L'âme qui doit revenir sur Terre, sans sa famille d'âmes, aura souvent de la difficulté à se sentir aimée, à sentir qu'elle fait partie de sa famille. Elle se sentira souvent à part des autres, elle aura l'impression de ne pas avoir sa place au sein de sa nouvelle famille terrestre. Mais lorsqu'un autre membre se réincarne en même temps qu'elle, elle bénéficie de sa présence. Elle aura une relation très serrée et unique avec cette personne. Par exemple, considérons une famille normale composée d'un père, d'une mère, d'enfants et de grands-parents. Parmi les enfants, l'un d'eux ne se sent pas bien dans sa famille. Il n'est pas proche de son père et de sa mère, ni même de ses frères et sœurs. Toutefois, cet enfant possède un lien très fort avec sa grand-mère maternelle. Seule cette grand-mère le comprend et il se sent heureux qu'en présence de cette personne. Alors, on peut dire que ces deux êtres viennent d'une même famille d'âmes. Ce lien qui les unit sur Terre peut être très simple, mais leurs racines proviennent de plus haut. Elles viennent de leur véritable famille d'âmes. La grand-mère est donc revenue sur Terre dans le but d'aider l'enfant à bien cheminer. Une âme est revenue pour aider une autre âme de sa famille originelle.

Ainsi, à travers ces exemples, on remarque qu'il est possible de côtoyer plus d'une famille d'âmes, et ce, dans le but de parfaire son existence.

Union de familles d'âmes

Il existe également des unions de familles d'âmes. À titre d'exemple, des amis partageant des intérêts communs peuvent se réunir, même si chacun possède sa propre famille d'âmes. À une plus grande échelle, il est possible de voir plusieurs âmes d'une famille s'unir à une autre famille d'âmes dans le but de parfaire leur évolution et d'élever le niveau vibratoire de la planète Terre. Souvent, elles choisiront des familles d'âmes qui existent depuis plusieurs siècles et dont le noyau est très solide.

L'Ombre et ses répercussions sur le noyau familial

Le noyau familial d'une famille d'âmes envahi par l'Ombre n'est pas très solide. Les membres se disputent continuellement. Ils déblatèrent sur l'un et sur l'autre. Ils vivent beaucoup de dualité entre eux. Certains quittent le domicile familial. D'autres s'éloignent de la famille. Ils ne se parlent plus ou presque. Certains cherchent à former un nouveau noyau familial, exempt de Lumière, en brisant des liens qui les unissent les uns aux autres. L'Ombre a plus d'un tour dans son sac.

Les âmes qui cherchent à former un nouveau noyau familial s'organiseront pour amener avec elles plusieurs personnes. Elles prêcheront en leur faveur. Elles briseront des liens pour s'assurer que ces personnes ne se laissent pas influencer par les autres membres de la famille. Ainsi, ces âmes d'Ombre ne sont là que pour briser des liens karmiques. Ne comprenant pas qu'une énergie d'Ombre est présente, elles deviennent jalouses et tentent de détruire des liens karmiques. Lorsqu'il y a beaucoup de dualité entre les membres d'une même famille, c'est qu'ils ont perdu leurs repères, leur noyau familial. Ils s'en sont détachés à cause de leur Ombre intérieure.

Ainsi, il faut faire attention à ne pas sombrer du côté de l'Ombre lorsque les disputes familiales s'installent dans une famille d'âmes. Les âmes au cœur pur devront se battre afin de conserver une harmonie familiale et un noyau familial exempt d'âmes malicieuses.

CHAPITRE II

Types d'individus au sein d'une famille d'âmes

Au sein d'une famille d'âmes, certains individus se démarqueront plus que d'autres par leur présence ou leur façon d'être. Leurs caractéristiques particulières leur permettent de se démarquer des autres ; il devient plus facile de les identifier. Ils revêtent un certain magnétisme qui ne laisse pas les gens indifférents.

Nous avons identifié les types d'individus que nous croyions être les plus apparents au sein d'une famille d'âmes, ceux dont la mission influence un plus grand nombre de personnes. Dans certains cas, il se peut que vous retrouviez ces types de personnes au sein de votre famille terrestre également. Certaines personnes peuvent jouer plus d'un rôle dans leur famille d'âmes et terrestre. Ces types de personnes sont des âmes qui cheminent ensemble depuis un certain temps.

Directeur de la famille d'âmes

Dans les familles d'âmes, il y a le directeur qui, lorsqu'il s'incarne sur Terre, cherche toujours à réunir les membres de sa famille. Il aime que tous soient rassemblés. Les membres de la famille d'âmes se collent à ce directeur. Ils cherchent à être à ses côtés. Il est le centre de la famille d'âmes et il s'assure que chaque être chemine dans la bonne direction. Il travaille secrètement pour aider les membres de sa famille à accomplir leur plan de vie. Ce directeur de la famille d'âmes devient donc la personne qui réconfortera, qui écoutera et qui donnera des messages empreints de sagesse aux membres de sa famille. Il sera très dévoué envers ses membres.

Il y aura des directeurs qui seront très sévères, et d'autres qui seront très simples et plein d'humour devant les épreuves de la vie.

Rayons de soleil

Les rayons de soleil sont ceux qui illuminent la vie de leurs proches. Ces êtres sont toujours de bonne humeur. Ils apportent de la vie dans leur famille d'âmes. Ils sont de véritables étincelles de joie et de bonheur. Ils sont les bouffons de leur famille d'âmes. Lorsqu'ils voient un membre de leur famille d'âmes en peine, ils s'assurent de le faire rire ou de lui changer les idées. Lorsque vous êtes en compagnie d'un rayon de soleil, vous vous sentez bien. Ses paroles vous réconfortent. Ses gestes dénotent beaucoup d'amour et de compréhension. Les rayons de soleil apaisent le cœur de l'homme et le guérissent. Ils sont toujours en train d'aider l'un ou l'autre. Ils ne demandent jamais rien en retour, sauf peut-être un petit sourire!

Noyau familial

Ceux qui agissent à titre de noyau familial auront toujours le bien-être de chacun des membres à cœur. Tous les membres de leur famille d'âmes sont très importants à leurs yeux. Ils resserrent les liens entre eux, ils les protègent et ils s'assurent que rien ne vienne entraver la paix qui règne au sein de la famille. La Lumière de la personne qui représente un noyau familial est très puissante et elle illumine ses proches. Souvent, cette personne s'assure que ses membres forment une unité et que les liens qui les unissent les uns aux autres soient des liens qui ne peuvent se dissoudre par de la discorde ou des malentendus. Elle devient, en quelque sorte, le parapluie qui protège ses membres de toutes les intempéries. De plus, les paroles du noyau familial sont très importantes aux yeux des autres puisqu'elles guident et apaisent tous les maux.

Pilier

Le pilier protège les membres de sa famille d'âmes. Il leur apporte du support et du réconfort. Il est toujours là pour les défendre. Il s'assure qu'ils suivent la bonne route, qu'ils sont sur le droit chemin. Lorsqu'un membre de sa famille s'égare, le pilier le ramène rapidement à la maison! La base d'un pilier est solide et il s'assure que tous ses membres soient en harmonie les uns avec les autres. Le pilier analyse chaque action avant de l'entreprendre. Il ne fera rien sans en parler aux autres. Ses conseils sont judicieux. Il est compréhensif vis-à-vis les membres de sa famille d'âmes. Il voit à leur bien-être, et ce, de façon continuelle.

Rassembleur

Le rassembleur est très proche du directeur de la famille d'âmes. Ensemble, ils veillent au bien-être des membres de leur famille. Le rassembleur est celui qui vous invite à toutes sortes d'événements, d'activités ou de soupers en famille. Il a toujours une idée en tête, ou une activité à organiser pour rassembler toute sa famille. Il veut que tous soient présents, il veut que tous se rassemblent pour profiter de l'énergie des autres.

Facilitateur

La mission du facilitateur est de voir au bon déroulement du plan de vie des membres de sa famille d'âmes. Il s'assure que chacun est en harmonie et heureux. À l'aide de ses idées constructives, les membres de sa famille d'âmes peuvent réaliser leurs projets, concrétiser leurs idées ou régler leurs problèmes. Il travaille en équipe, donc avec tous les autres types de personnes faisant partie de sa famille d'âmes. Il s'assure que chaque rôle est bien défini et bien accompli, souvent selon les recommandations du directeur de la famille d'âmes. Il veille également à ce que les objectifs fixés soient bien compris et réussis, selon les exigences de la famille d'âmes. Ses propositions sont efficaces et elles donnent les résultats escomptés. Il est un bon coordonnateur. Lui et le rassembleur forment une belle équipe! Ils se dévouent pour organiser des activités rassemblant les membres de leur famille d'âmes.

De plus, le facilitateur a toujours un bon mot à dire lorsque survient un problème. Ses mots réconfortent et guérissent l'âme égarée, en peine ou perdue. Le facilitateur est très proche des nouvelles âmes qui entrent dans sa famille d'âmes. Il leur apporte du soutien et il les aide à bien cheminer dans leur nouvelle famille.

Messager

Le messager prend des nouvelles de tout le monde. Ensuite, il les distribue aux autres membres de la famille d'âmes. Il est évident que ce messager passera son temps à vous appeler pour vérifier si tout va bien. Il sait tout sur chacun. Il est le porteur de nouvelles. Il est le journal familial! Lorsque vous voulez connaître l'heure d'un événement, vous informer à propos de la santé d'un proche ou obtenir toute autre information, c'est le messager qu'il faut contacter ; il connaît la réponse.

Bouée de sauvetage

La bouée de sauvetage vient au secours des membres de sa famille d'âmes qui vivent des tempêtes émotionnelles ou d'autres problèmes. Ses mots réconfortent et aident à se relever. La bouée de sauvetage ne laisse jamais tomber un membre de sa famille. Si elle prend quelqu'un sous sa responsabilité, elle le protège continuellement. Elle agit à titre d'armure, de garde du corps et d'équilibre émotionnel. La bouée de sauvetage montre toujours le chemin le plus facile afin qu'un être puisse retrouver sa joie de vivre. Elle conduit sans cesse vers le bon chemin. Voir un membre de sa famille d'âmes rayonner la rend heureuse. Elle fait donc tout ce qui est possible pour que chacun soit rayonnant de bonheur!

La bouée de sauvetage est également la banque familiale. Lorsqu'un pépin financier vous arrive, c'est elle qui vous sauve. Le bonheur des membres de sa famille d'âmes n'a pas de prix pour elle.

L'ARBRE SÉPHIROTIQUE
L'ARBRE DE VIE

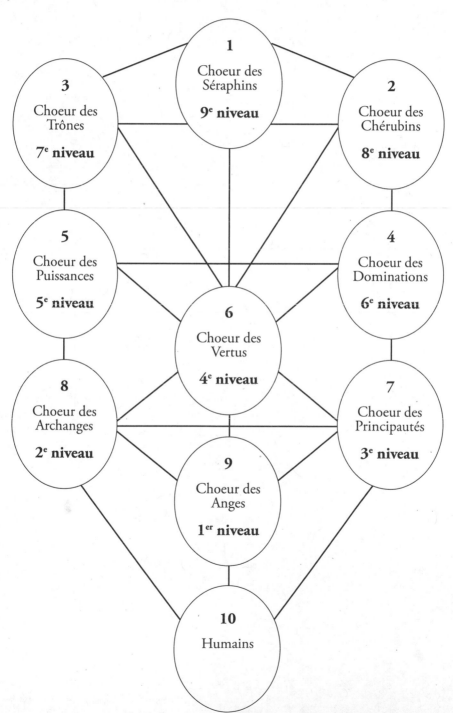

CHAPITRE III

L'Arbre Séphirotique
et ses familles angéliques

L'Arbre Séphirotique est la base fondamentale de toute vie. Dieu a créé l'Arbre Séphirotique dans le but de permettre aux âmes de s'élever spirituellement et d'atteindre Son niveau vibratoire, Son essence divine. L'Arbre Séphirotique (ou l'Arbre de vie) est composé de neuf familles angéliques, ou de neuf Chœurs Angéliques. Ces Chœurs représentent les différentes étapes que l'âme doit franchir pour parvenir aux Plans Divins.

Chaque Chœur Angélique a été créé par Dieu selon une puissance vibratoire spécifique à ce Chœur. En effet, de son essence divine, Dieu a créé neuf Chœurs d'où émane l'énergie vibratoire de huit Anges et d'un Archange. L'énergie de chaque Chœur est issue de l'énergie du Chœur précédent. Ainsi, de son essence divine, Dieu a créé le Chœur des Séraphins. De l'essence des Séraphins, il a créé le Chœur des Chérubins. De l'essence des Chérubins, il a créé le Chœur des Trônes. De l'essence des Trônes, il a créé le Chœur des Dominations, et ainsi de suite jusqu'aux êtres humains. Ainsi, tous les Chœurs Angéliques sont liés ensemble par une énergie commune, cette essence divine de création. Ils forment un tout complet. Ensemble, les neuf Chœurs (ou familles) Angéliques créés par Dieu forment l'Arbre Séphirotique. (Voir le schéma de l'Arbre Séphirotique à la page 29.) *(Les chiffres notés au-dessus des Chœurs représentent l'ordre dans lequel les Chœurs Angéliques furent créés. Les niveaux, en dessous du nom des Chœurs, représentent l'ordre dans lequel l'être humain doit franchir les Chœurs pour atteindre les Sphères Célestes ou la maison de Dieu.)*

À l'image des Anges et des Archanges qui composent ces familles angéliques, les êtres humains forment des familles d'âmes. Ils sont liés entre eux par une énergie vibratoire semblable dans le but d'évoluer ensemble vers un but commun. Ainsi, les Anges faisant partie des Chœurs Angéliques ressemblent, à plus petite échelle, aux êtres humains qui font partie de familles d'âmes.

La première famille angélique créée par Dieu est celle des Séraphins. Sur le plan terrestre, le Chœur des Séraphins est la dernière clé à obtenir (niveau 9) avant d'obtenir la grâce de ne plus revenir sur Terre. Cette clé vous permet d'ouvrir la porte de la maison de Dieu et d'y demeurer. Donc, une fois que vous avez réussi le Chœur des Séraphins (niveau 9), vous n'avez plus à revenir sur Terre, si tel est votre désir.

La deuxième famille angélique créée par Dieu est celle des Chérubins. Sur le plan terrestre, la maison des Chérubins représente l'avant-dernier plancher à franchir (niveau 8) pour obtenir la grâce de ne plus revenir sur Terre. Cela signifie que vous devrez revenir sur Terre pour accomplir la dernière étape de l'Arbre de vie et obtenir la dernière clé qui se trouve dans le Chœur des Séraphins.

La troisième famille angélique créée par Dieu est celle des Trônes. Sur le plan terrestre, le Chœur des Trônes se trouve au septième niveau (niveau 7). Ce Chœur est très particulier. C'est dans cette maison que l'âme apprend et qu'elle règle un karma répétitif. Néanmoins, l'âme doit en être consciente, sinon elle trouvera son parcours sur Terre très difficile. On appelle le Chœur des Trônes « la prison de l'âme » puisque l'âme qui s'incarne dans cette maison aura un parcours plus ardu puisqu'elle est venue régler un karma répétitif. Il est donc important, pour les enfants Trônes, de trouver un sens à leur vie.

Si vous parvenez à comprendre votre venue sur Terre, et à l'accepter, vous aurez fait un très grand pas vers le chemin de votre liberté et de votre réussite. Tous les enfants Trônes possèdent en eux la clé. Il suffit de la trouver et de l'utiliser convenablement. Autrement dit, soyez conscient de votre potentiel et utilisez-le à bon escient! Lorsque l'âme aura terminé son plan de vie, elle retournera dans son Chœur respectif. On séjourne dans la maison des Trônes pour apprendre les leçons d'un karma répétitif et les dépasser avec succès. Toute âme qui chemine bien dans l'Arbre de vie, **n'ira pas visiter** la maison des Trônes, et ce, même s'il est identifié comme étant le septième niveau de l'Arbre Séphirotique. Lorsqu'une âme termine le Chœur des Dominations (niveau 6), elle se dirige directement vers le Chœur des Chérubins (niveau 8). Vous passerez par-dessus le Chœur des Trônes (niveau 7). Cela représente l'ascension normale à travers l'Arbre de vie.

La quatrième famille angélique créée par Dieu est celle des Dominations. Sur le plan terrestre, le Chœur des Dominations se trouve au sixième niveau (niveau 6). Pour atteindre le sommet et recevoir la clé finale, l'être humain doit réussir deux autres Chœurs, soit le Chœur des Chérubins (niveau 8) et le Chœur des Séraphins (niveau 9). Il lui reste donc deux vies terrestres à compléter.

La cinquième famille angélique créée par Dieu est celle des Puissances. Sur le plan terrestre, le Chœur des Puissances se trouve au cinquième niveau (niveau 5). L'être humain doit donc réussir trois autres Chœurs, soit le Chœur des Dominations (niveau 6), le Chœur des Chérubins (niveau 8) et le Chœur des Séraphins (niveau 9) pour atteindre le but final. Il lui reste donc trois clés à acquérir, donc trois vies terrestres à compléter.

La sixième famille angélique créée par Dieu est celle des Vertus. Sur le plan terrestre, le Chœur des Vertus se trouve au quatrième niveau (niveau 4). Pour parvenir au sommet et compléter son évolution, l'être humain a quatre autres Chœurs à traverser, soit le Chœur des Puissances (niveau 5), le Chœur des Dominations (niveau 6), le Chœur des Chérubins (niveau 8) et le Chœur des Séraphins (niveau 9). Il lui reste donc quatre clés à acquérir, donc quatre autres incarnations sur Terre.

La septième famille angélique créée par Dieu est celle des Principautés. Sur le plan terrestre, le Chœur des Principautés se trouve au troisième niveau (niveau 3). Cinq autres Chœurs devront être franchis, soit le Chœur des Vertus (niveau 4), le Chœur des Puissances (niveau 5), le Chœur des Dominations (niveau 6), le Chœur des Chérubins (niveau 8) et le Chœur des Séraphins (niveau 9). Encore cinq clés à acquérir, donc cinq vies terrestres à compléter, pour continuer l'ascension dans l'Arbre de vie.

La huitième famille angélique créée par Dieu est celle des Archanges. Sur le plan terrestre, la maison des Archanges se trouve au deuxième niveau (niveau 2). Pour atteindre le sommet, et recevoir la clé finale, l'être humain doit réussir six autres Chœurs Angéliques, soit le Chœur des

Principautés (niveau 3), le Chœur des Vertus (niveau 4), le Chœur des Puissances (niveau 5), le Chœur des Dominations (niveau 6), le Chœur des Chérubins (niveau 8) et le Chœur des Séraphins (niveau 9). Il lui faut acquérir encore six clés et compléter six vies terrestres pour continuer son ascension vers les plans divins.

La neuvième famille angélique créée par Dieu est celle des Anges. Sur le plan terrestre, le Chœur des Anges se trouve au premier niveau (niveau 1). Toutefois, ce Chœur est très particulier. Il contient les nouvelles âmes qui s'incarnent ainsi que les âmes qui ont chuté et qui doivent recommencer à la base de l'Arbre. Une fois le Chœur des Anges accompli, ces âmes devront continuer de monter dans l'Arbre de Vie. Ainsi, pour atteindre le sommet, et recevoir la clé finale, l'âme devra réussir le Chœur des Archanges (niveau 2), le Chœur des Principautés (niveau 3), le Chœur des Vertus (niveau 4), le Chœur des Puissances (niveau 5), le Chœur des Dominations (niveau 6), le Chœur des Chérubins (niveau 8) et le Chœur des Séraphins (niveau 9). Elle devra acquérir sept clés au cours de sept vies terrestres à compléter pour atteindre le sommet de l'Arbre de vie.

De plus, ce Chœur contient les âmes qui reviennent pour aider un membre de leur famille d'âmes ou tout simplement pour aider l'humanité. Ces dernières ont déjà obtenu leurs grâces de la part du divin et elles n'ont pas à se réincarner si elles le désirent. Par contre, plusieurs âmes de ce niveau ont choisi de revenir sur Terre pour venir en aide à ceux qui en ont besoin. Elles ne sont pas obligées de gravir l'Arbre comme les autres âmes. Elles ont le choix de rester dans la Sphère Céleste ou de revenir sur Terre. Ce choix leur appartient puisqu'elles ont accompli avec succès toutes les étapes de l'Arbre Séphirotique, l'Arbre de vie. Elles ont obtenu toutes les clés leur permettant d'ouvrir les portes du paradis.

Les Anges et l'être humain

Le Chœur Angélique auquel un être humain appartient joue un rôle primordial dans sa vie terrestre. Ce Chœur est lié à son plan de vie, à son karma. Tous les Anges faisant partie du Chœur Angélique sont en mesure d'aider l'humain à bien réussir son plan de vie. Ils l'aideront à construire son bonheur et à le savourer. Si leur aide est réclamée, ces anges enverront sur la route de celui qui le demande des événements bénéfiques qui l'aideront à se sortir de situations ennuyeuses ou à régler des problèmes de toutes sortes. Ils l'aideront également à réaliser ses rêves et ils le guideront vers un avenir équilibré.

De plus, chaque Ange possède sa propre mission afin d'aider l'être humain à bien compléter son plan de vie et à le réussir. Chaque être humain a un lien karmique avec son Ange de la Lumière. Son plan de vie est relié aux forces de son Ange. Il est donc primordial pour l'être humain d'apprendre à connaître son Ange de la Lumière et sa mission envers lui. En apprenant à connaître son Ange de la Lumière, l'être humain parviendra à mieux connaître son propre plan de vie. Il est important qu'il puise ses forces à travers la Lumière de son Ange puisque la mission principale de ce dernier est de transformer les faiblesses de l'humain en forces et de bannir son côté Ombre afin de le ramener vers sa propre Lumière. Cette transformation permettra à l'être humain de contrôler sa colère et d'éliminer petit à petit les sentiments négatifs qui détruisent complètement sa vie. De plus, l'Ange de la Lumière lui fera prendre conscience de son potentiel afin qu'il puisse se prendre en main et mieux gérer sa vie terrestre et la réussir.

Aussi, l'être humain peut bénéficier de l'aide en provenance des Anges des autres Chœurs Angéliques lorsqu'il entre en relation avec une personne faisant partie d'un autre Chœur que le sien. En effet, chaque Chœur apporte un soutien particulier à l'être humain et les vibrations des Anges du Chœur, ou leurs forces, se reflètent souvent chez la personne sous sa gouverne. Par exemple, si vous faites partie du Chœur des Trônes et qu'un membre de votre famille d'âmes fait partie du Chœur des Anges, vous serez porté à lui donner des conseils au sujet de sa santé physique ou mentale, puisque cet aspect représente l'une des forces des Anges Trônes. Cette personne bénéficiera donc des forces attribuées aux Anges Trônes, même si elle ne fait pas partie de ce Chœur, si elle entretient une relation saine (empreinte de Lumière) avec celle qui fait partie des Trônes.

HAPITRE IV

Caractéristiques propres
à chacune des familles angéliques

Voici un aperçu des principales caractéristiques des familles angéliques (les Chœurs) et des Anges qui les composent. Cet aperçu est traité sous l'angle des liens karmiques et des familles d'âmes. Pour une description complète et détaillée de chacun des Chœurs et des Anges, le lecteur est invité à consulter les livres *La Bible des Anges* et *Les Anges au Quotidien* (de la même auteure et paru chez le même éditeur).

Il est possible d'identifier notre vibration d'Ange en consultant le tableau en annexe.

Le Chœur des Séraphins *(Du 21 mars au 30 avril)*

Les Séraphins représentent le premier Chœur que Dieu a créé et le dernier étage que l'humain doit franchir pour se libérer du cycle de la réincarnation. Une fois cette étape franchie, il pourra alors retrouver son état originel où d'autres possibilités d'évolution l'attendent. Le Chœur des Séraphins et le Chœur des Anges sont les plus importants de la Hiérarchie, car ils représentent le début et la fin du cycle de réincarnations. Ces deux Chœurs Angéliques sont également très puissants, car personne ne peut atteindre le sommet sans avoir accompli le début. Et personne ne peut commencer sa vie angélique sans avoir terminé ses vies terrestres.

Les Anges Séraphins ont comme mission d'aider l'humain en ce qui concerne leur vie amoureuse. Ils ont à cœur le bonheur de l'être humain.

Ces Anges Séraphins feront tout leur possible pour voir l'humain heureux et resplendissant de bonheur. Ce Chœur représente la Maison de l'amour inconditionnel. Leur but premier est d'apporter l'amour et la paix sur Terre. Ils ont aussi comme mission de transformer l'Ombre en Lumière, de transformer le mal en bien et de transformer la haine en l'amour. De plus, ces Anges Séraphins ramènent sur la bonne voie toute personne qui s'égare de son chemin de vie. Ils ont également la mission de raviver la flamme divine qui sommeille en vous, cette flamme qui vous relie à Dieu.

Les huit Anges de ce Chœur sont Vehuiah, Jeliel, Sitaël, Elemiah, Mahasiah, Lelahel, Achaiah et Cahetel.

Les Anges **Vehuiah**, **Jeliel** et **Lelahel** ont pour mission d'apporter l'amour véritable dans le cœur des humains. Ils rallument la flamme d'amour et du désir entre les individus.

L'Ange **Sitaël** vous permet de mettre fin à des dépendances qui vous empêchent d'évoluer et de vous épanouir. Il met également fin à des liens karmiques négatifs. Il suffit de lui demander de l'aide.

Les Anges **Elemiah** et **Mahasiah** prônent la paix. Ils s'assurent que cette paix se reflète dans le cœur des humains. Leur mission est de vous aider à réussir votre vie et à être heureux! Ces Anges vous permettront de faire une bonne analyse de vos faiblesses pour que vous puissiez les améliorer et même vous en défaire. Lorsqu'une bonne analyse est faite, il est beaucoup plus facile d'apporter les améliorations nécessaires afin de retrouver l'équilibre.

Les Anges **Vehuiah** et **Achaiah** connaissent les plans de vie de chacun. Leur mission est de vous ramener vers le droit chemin lorsque vous êtes perdu. Ces Anges vous redresseront et ils vous guideront vers une étape favorable de votre existence pour que vous puissiez reprendre confiance en la vie et en votre potentiel. Cela aura un impact bénéfique sur votre avenir. Ces Anges connaissent également les membres de votre famille d'âmes. Il suffit de leur demander!

L'Ange **Cahetel** protège votre foyer, votre famille d'âmes et celle terrestre. Il protège également tous les types de personnes qui font partie de la même famille d'âmes. Il s'assure que l'harmonie règne entre tous les membres d'une même famille d'âmes ou terrestre. Il fait également de votre demeure un havre de paix où il fait bon y vivre!

Le Chœur des Chérubins *(Du 1ᵉʳ mai au 10 juin)*

Les Anges Chérubins prennent soin de la santé mentale de l'humain en l'aidant à trouver ses forces afin que l'harmonie et la sérénité soient de nouveau présentes dans sa vie. Pour ces Anges Chérubins, il est important de voir l'être humain équilibré. Un être équilibré possède davantage de chance de réussir sa vie et de surmonter ses épreuves. Ce Chœur permet également d'avoir une excellente santé et de vivre très vieux.

De plus, les Anges Chérubins voient au bien-être de la planète Terre. Il est important pour eux de prendre soin de la demeure des humains. C'est la raison pour laquelle ils infusent à leurs enfants le goût de la propreté. Il n'est pas rare de voir un enfant Chérubin se préoccuper de sa planète. Plusieurs recycleront leurs déchets. D'autres nettoieront les terrains, les lacs ou les rivières, afin d'améliorer la création de Dieu et de l'embellir. Ces enfants Chérubins sont conscients qu'il est important d'avoir une Terre saine et propre. Ainsi, elle deviendra plus productive. Le désir le plus profond des Anges Chérubins est de permettre à l'humain de vivre dans un environnement sain et pur, puisque cela est bon pour sa santé mentale et physique!

Les huit Anges de ce Chœur sont Haziel, Aladiah, Lauviah I, Hahaiah, Yezalel, Mebahel, Hariel et Hekamiah.

La mission de l'Ange **Haziel** est de vous libérer de tout ce qui vous retient prisonnier, comme les angoisses, par exemple. Il est également l'Ange du pardon et de la réconciliation. Il est celui qui accorde une chance à tous ceux qui ont failli à leur plan de vie et à tous ceux qui sont submergés par l'Ombre. Sa mission est de les ramener vers le chemin de la Lumière.

Aladiah se préoccupe beaucoup de votre santé mentale, cela lui tient à cœur. Cet Ange fera tout en son pouvoir pour vous aider à retrouver une santé mentale saine et équilibrée. L'Ange Aladiah vous libère également de vos situations karmiques. Il suffit de lui demander.

L'Ange **Lauviah I** est le soleil qui entre dans votre vie et dans votre cœur. Sa Lumière chasse les sentiments négatifs. Elle vous en libère pour que vous puissiez retrouver votre équilibre, votre stabilité et votre joie de vivre. Cet Ange protège également le lien karmique qui unit les âmes lors d'une naissance gémellaire.

L'Ange **Hahaiah** oriente votre vie vers des situations lumineuses. Elle vous aide également à vous défaire des liens karmiques qui nuisent à votre bien-être. Il suffit de demander son aide. Sa mission est de voir l'être humain heureux et en harmonie avec sa vie terrestre.

Les Anges **Lauviah I** et **Yezalel** représentent une fontaine d'amour qui baigne votre vie et votre cœur. Leur Lumière chasse les sentiments négatifs. Ils vous en libèrent pour que vous puissiez retrouver votre équilibre et votre joie de vivre. L'Ange **Yezalel** vous fera également comprendre qu'il suffit de peu pour être heureux. L'important, c'est d'apprécier tous les petits événements agréables qui se produisent dans votre vie.

L'une des missions importantes de l'Ange **Mebahel** est de vous relever lorsque vous sombrez dans le néant. Lorsque votre esprit est mort, la Lumière de l'Ange Mebahel le nourrit et le ramène à la vie. Cet Ange protège également les familles d'âmes. Il les préserve des calomnies, de la jalousie, des tromperies et des méfaits de l'Ombre.

L'Ange **Hariel** veille à la propreté de la Terre. On le surnomme « l'Ange du nettoyage ». Cet Ange infuse à ses enfants le goût de la propreté. Sa Lumière désintoxique le corps humain et le purifie. Cet Ange vous fera prendre conscience de l'importance qu'occupe votre santé dans votre vie. Il vous permettra d'instaurer un mode de vie qui aura un impact bénéfique sur votre santé mentale et physique. Ainsi, ce mode de vie vous aidera à vivre vieux et en santé, si tel est votre désir.

L'Ange **Hekamiah** protège avec amour l'Univers de Dieu. Donc, elle protège les familles d'âmes. Étant donné que l'Ange Hekamiah est près de Dieu, elle possède le pouvoir d'aider l'être humain à construire son propre paradis sur Terre. Hekamiah se fera un devoir de vous aider à retrouver la paix, le bonheur et un bel équilibre. De plus, cet Ange prend également soin de la santé physique et mentale de l'être humain. Elle l'aide à se sentir bien dans sa peau.

La Lumière des Anges **Hekamiah** et **Aladiah** ainsi que **Lauviah II** (Ange faisant partie du Chœur des Trônes) font des miracles pour tous ceux qui souffrent d'agoraphobie, d'anxiété, de phobie ou de peurs quelconques. Il suffit de les prier afin de mettre un terme à ces sentiments négatifs.

Le Chœur des Trônes *(Du 11 juin au 22 juillet)*

Le Chœur des Trônes vous permet de vivre et d'exister. Il vous permet d'être serein. Ce Chœur vous aide à mieux vous accepter. Il voit à votre mieux-être et à votre bien-être. Pour les Anges Trônes, il est important de voir l'être humain en équilibre avec sa vie. Leur Lumière apporte la guérison des émotions négatives et malsaines. Voilà l'importance de les prier et de leur réclamer de l'aide lorsque vous êtes envahi par la négativité. Ces Anges possèdent également la clé de la liberté qui soulage l'être humain lorsqu'il est emprisonné par un karma répétitif. Autrement dit, les Anges Trônes montrent à l'être humain tous les outils essentiels qu'il possède pour se prendre en main et réussir son plan de vie.

Les huit Anges qui composent ce Chœur sont Lauviah II, Caliel, Leuviah, Pahaliah, Nelchaël, Yeiayel, Melahel et Haheuiah. Tous les Anges de ce Chœur possèdent une haute vibration. Ces Anges Trônes doivent aider leurs enfants à se prendre en main et à avancer continuellement. C'est la clé de leur libération! Les enfants Trônes sont très vulnérables et influençables. Ils peuvent facilement se laisser envahir par la négativité. Lorsque l'Ombre les envahit, ces êtres n'avancent plus et ils stagnent dans leur évolution. C'est l'une des raisons principales qui les obligent à traverser ce Chœur. Il est donc important pour les enfants Trônes de trouver leur voie, la clé de leur libération, afin de se défaire de leurs karmas répétitifs. Ainsi, leur vie terrestre s'améliorera.

Les Anges **Lauviah II**, **Leuviah** et **Haheuiah** éloignent les idées noires et les chassent définitivement. Leur Lumière est comme un baume sur les émotions négatives. Leur énergie apaisante remplace le mal de vivre par une joie de vivre et d'exister. **Lauviah II** travaille également avec les Anges Aladiah et Hekamiah (Anges appartenant au Chœur des Chérubins) pour chasser l'anxiété.

L'Ange **Caliel** envoie aux humains le message suivant : « *Ne vous résignez jamais. Allez vers vos rêves et remplissez votre vie de magie.* » Telle est la force de sa Lumière. Cet Ange permet aux humains de réussir leur plan de vie et de l'accomplir.

L'Ange **Pahaliah** envoie aux humains le message suivant : « *Les épreuves font grandir. Apprenez à voir le côté positif de chaque épreuve. Ce faisant, vous deviendrez plus fort et il vous sera plus facile de vous en libérer puisque vous serez armé de courage et de persévérance. Donc, ne baissez jamais les bras* *lorsque surviendra une épreuve. Redressez vos épaules et foncez droit devant. Ainsi, vous serez fier de vous et de tout le travail que vous aurez accompli pour relever ce défi.* » La Lumière de cet Ange permet aux humains de se prendre en main et de se diriger vers le chemin du bonheur.

Il en est de même avec l'Ange **Nelchaël**. Cet Ange vous permet de regarder à l'intérieur de vous et d'y découvrir vos forces et vos talents. Il vous permet également d'aimer la personne que vous êtes. Son message est le suivant : « *Vous êtes seul et unique en votre genre. Donc, n'essayez pas d'être comme les autres. Essayez tout simplement d'être vous-même!* » Cet Ange vous donne également la force et le courage d'accomplir les changements nécessaires pour retrouver une belle qualité de vie.

Le surnom de l'Ange **Yeiayel** est « Secours de Dieu » puisqu'il vous protège de toutes les tempêtes, au sens propre comme au figuré, qui peuvent surgir dans votre vie. Lorsque vous vous sentez en danger, faites appel à cet Ange ; il viendra immédiatement à votre rescousse.

Il en est de même avec l'Ange **Melahel**. Sa Lumière vous libérera de tous vos maux physiques, psychologiques, sociaux et autres. Cet Ange vous aidera à retrouver la paix dans votre vie et à atteindre votre bonheur.

Le Chœur des Dominations *(Du 23 juillet au 2 septembre)*

Les Anges Dominations représentent la Maison de la spiritualité. Ce Chœur travaille en étroite collaboration avec l'âme et la spiritualité de l'être humain. Leur Lumière nourrit votre âme. Donc, vous êtes moins enclin à vous laisser influencer par l'Ombre. Ce Chœur vous permet de bien diriger vos prières afin qu'elles puissent être exaucées. Il n'est pas rare de voir plusieurs enfants Dominations devenir d'excellents messagers, d'excellents missionnaires. Lorsque leur spiritualité est sans failles, ces enfants Dominations possèdent le pouvoir de transmettre de merveilleux messages d'amour et de paix. Leurs paroles réconfortent et leurs gestes guérissent. Le Chœur des Dominations est également la Maison des dons et des talents transmis à la naissance ou issus d'une autre vie. Plusieurs enfants Dominations connaîtront la célébrité grâce à leur voix ou à leur talent respectif. Ils sont de véritables artistes dans l'âme.

Les huit Anges de ce Chœur sont Nith-Haiah, Haaiah, Yerathel, Seheiah, Reiyiel, Omaël, Lecabel et Vasariah. Ces Anges voient au bien-être de l'humain.

Les Anges **Reiyiel** et **Omaël** voient aussi au bien-être des animaux. Ils sont les deux Anges attitrés aux animaux. Ils s'occupent également des liens karmiques qui vous unissent aux animaux. Ils s'assurent que ces liens ne soient pas détruit par l'Ombre.

L'Ange **Nith-Haiah** vous permet de mieux comprendre le monde spirituel. Sa Lumière chasse les émotions négatives et elle illumine votre âme.

L'Ange **Haaiah** œuvre pour que la paix existe dans le monde et dans votre cœur. Elle fait des traités de paix pour éviter des guerres inutiles. Cet Ange vous permet de couper un lien sans complications. Haaiah peut également vous montrer le lien qui vous unit à quelqu'un. Il suffit de lui demander.

Le surnom de **Yerathel** est « Justice de Dieu ». Cet Ange n'aime pas voir l'Ombre venir détruire l'être humain. L'une des missions de Yerathel est de vous montrer l'impact que l'Ombre a dans votre vie. Il vous montrera le vrai visage des gens qui cherchent à vous nuire. Ainsi, il vous permettra de mieux comprendre si le lien karmique qui vous unit à une personne est bon ou mauvais pour vous. Par la suite, il vous donnera le courage et la force de couper ce lien, si celui-ci entrave votre bonheur.

L'Ange **Seheiah** protège tous ceux qui lui en font la demande. La Lumière de cet Ange peut faire des miracles. Seheiah peut vous guérir de vos ennuis de santé et soulager vos douleurs. Donc, si un lien karmique vous cause des ennuis de santé, cet Ange saura bien prendre soin de vous.

L'Ange **Reiyiel** est très dévoué à Dieu. Sa mission est de s'assurer que les humains Le prient et Le louangent. Cet Ange amène vos prières vers Dieu pour qu'Il puisse les entendre et vous répondre. Une mission importante que possède l'Ange Reiyiel, c'est de faire un signe concret à tous les non-croyants. Par cette petite attention, il aimerait que les non-croyants changent leurs perceptions en ce qui a trait à l'Univers des Anges. Reiyiel sait qu'il est important d'entretenir sa spiritualité. C'est là que l'humain puise sa force, son énergie et qu'il nourrit sa Lumière. De plus, Reiyiel éloigne les « vampires d'énergie » qui dérangent votre quiétude, votre santé et votre bonheur.

L'Ange **Omaël** est un véritable élixir de bonheur. On dit qu'il est « Maître dans tout ». Donc, qu'importe la demande que vous lui adressez,

Omaël fera tout en son pouvoir pour l'exaucer et vous donner ce cadeau auquel vous tenez tant. Lorsque l'être humain est heureux, cet Ange l'est aussi! Votre bonheur est important à ses yeux. Omaël affirme que lorsque l'humain est en contrôle de sa vie et qu'il est heureux, il possède tous les outils essentiels pour vaincre l'Ombre et s'en libérer.

Le surnom de l'Ange **Lecabel** est « Ange productif de Dieu ». Avec lui, tout doit bouger et c'est important que chacune de vos actions récolte ses bienfaits. C'est la raison pour laquelle Lecabel rentabilisera vos projets, si vous lui en faites la demande. Lorsque vous êtes incertain, en ce qui concerne un lien karmique par exemple, cet Ange vous permettra de l'analyser avec exactitude afin que vous puissiez prendre la meilleure décision. Ainsi, vous n'aurez aucun regret quant aux décisions que vous prendrez rapidement.

L'Ange **Vasariah** est l'Ange qui peut vous aider le plus rapidement. Quand un problème survient dans votre vie et que vous avez besoin d'un miracle, elle est l'Ange à prier. Vasariah ira rapidement à la recherche de tous les Êtres de Lumière qui seraient en mesure d'accomplir ce miracle. De plus, elle enverra sur votre chemin toutes les personnes susceptibles de vous aider dans l'immédiat. Telle est la force de sa Lumière. De plus, cet Ange s'assure que tous vos liens karmiques récoltent leurs bienfaits.

Le Chœur des Puissances *(Du 3 septembre au 13 octobre)*

L'une des missions des Anges Puissances est de vous aider à épurer votre karma et à demander pardon. En expiant vos fautes immédiatement, cela aura un impact positif sur votre prochaine incarnation. Vous ne serez plus lié à un karma répétitif. C'est l'une des raisons principales pour lesquelles ce Chœur est étroitement lié au Chœur des Trônes. Il est la clé de la libération de tous les enfants Trônes. Si vous faites partie du Chœur des Trônes, il serait important que vous appreniez à bien connaître le Chœur des Puissances. Les liens que vous entretenez avec des personnes faisant partie de ce Chœur vous sauveront la vie. Ils vous aideront à trouver votre bonheur intérieur.

Le Chœur des Puissances prend également soin des familles terrestres. Il prône l'accord, l'entraide et l'harmonie dans les familles. Les Puissances ne peuvent voir les humains se déchirer par des paroles blessantes. Si votre venue dans une famille est causée par un lien karmique, il est évident que ces Anges Puissances vous aideront à bien accomplir votre destinée au lieu de tout détruire par vos paroles et vos gestes. Les Anges Puissances vous feront prendre conscience de votre rôle dans votre famille terrestre. Ils vous aideront également à terminer ce lien karmique de façon paisible.

Tous les Anges du Chœur des Puissances voient au bien-être des humains. Ils leur permettent de trouver un travail adéquat pour subvenir à leurs besoins. Ces Anges Puissances les aident également à trouver un équilibre dans tous les aspects de leur vie. Le Chœur des Puissances prône le pardon, la réconciliation et la justice. Grâce à sa Lumière, il vous sera permis de demander pardon à ceux que vous aurez blessés. Pour ce faire, vous n'avez qu'à demander l'aide des Anges de ce Choeur.

 Si vous créez des liens qui vous nuisent ou qui nuisent aux autres, ces Anges Puissances vous aideront à lâcher prise et à vous défaire de ces liens qui vous empêchent d'être heureux, qui dérangent votre quiétude. Ces Anges Puissances vous aideront à défaire vos liens karmiques pour ne pas être obligé de les revivre dans une prochaine incarnation. En les réglant immédiatement, votre évolution sera facilitée et vous avancerez vers un meilleur équilibre.

Les huit Anges qui composent ce Chœur sont Yehuiah, Lehahiah, Chavakhiah, Menadel, Aniel, Haamiah, Rehael et Ieiazel. Ces Anges sont d'une vibration dynamique. Leur mission est de vous donner la force et le courage de régler vos liens karmiques et de continuer à avancer vers vos rêves et vos projets. Voici le message que vous donnent ces Anges Puissances : « *Lorsque vous prenez le temps d'analyser vos liens karmiques, vous apprenez à les régler ainsi qu'à y puiser toutes les informations essentielles pour votre évolution. En agissant ainsi, vous deviendrez le maître de votre destinée. Tel est notre but envers tous ceux qui nous réclament de l'aide. Donc, priez-nous!* »

La mission des Anges **Yehuiah**, **Lehahiah** et **Menadel** est de vous aider à trouver un travail pour subvenir à vos besoins. L'Ange **Yehuiah** vous permet de mieux comprendre votre plan de vie et vos liens karmiques. Cet Ange possède le pouvoir d'intégrer en vous toutes les connaissances essentielles servant à bien accomplir votre plan de vie et à réussir vos liens karmiques.

La Lumière de l'Ange **Lehahiah** vous aidera à conserver l'espoir qu'un nouveau jour se lèvera pour vous. Cet Ange vous permettra de récolter les bienfaits de vos liens karmiques. Elle vous apportera également la sécurité dont vous aurez besoin pour continuer votre plan de vie et vous prendre en main.

Les Anges **Chavakhiah**, **Menadel** et **Rehaël** protègent le noyau familial. Ils possèdent le pouvoir de protéger votre famille terrestre et votre famille d'âmes. Ces Anges travaillent pour que votre famille ne soit pas déchirée par toutes sortes de situations ombrageuses. Ils solidifient le noyau familial. Chavakhiah, Menadel et Rehaël prônent le respect mutuel entre frères et sœurs, entre parents et enfants. Ils vous permettent de régler à l'amiable vos différends. Ces Anges n'aiment pas voir les gens d'une même famille se déchirer à cause de paroles blessantes. Si vous avez choisi de venir cheminer avec une famille terrestre, c'est pour une raison valable et importante. Il peut s'agir d'un lien karmique ou d'un lien avec un membre de votre famille d'âmes.

Toutefois, ces magnifiques Êtres de Lumière ne vous permettront pas de briser un lien ni d'y mettre un terme selon vos humeurs du moment. Ces Anges évalueront la situation et les raisons qui vous ont amené à cheminer avec cette famille terrestre. Par la suite, ils prendront leurs décisions. Souvent, ils vous feront voir les raisons qui vous amènent à cheminer avec cette famille terrestre. Si cette raison est reliée à un lien karmique, ces Anges s'assureront que vous l'avez bien accompli avant d'abandonner votre famille terrestre. Advenant qu'un membre de votre famille d'âmes soit en cause, ils vous le montreront également pour que vous puissiez lui apporter de l'aide. Pour ces Êtres de Lumière, il faut des raisons plausibles avant de couper les liens qui vous unissent à votre famille terrestre. Si vous abandonnez votre famille terrestre sans aucune raison, soyez avisés que Chavakhiah, Menadel et Rehaël vous le feront ressentir. Notez que tous les Premiers de l'an, l'Ange Rehaël peut bénir votre famille terrestre et votre famille d'âmes. Il suffit de le lui demander.

Les Anges **Aniel** et **Ieiazel** vous permettent de vous libérer de vos dépendances. Ils brisent le cercle de votre routine pour que vous puissiez trouver une activité qui vous permettra de vous éloigner de vos faiblesses. Leur Lumière vous donnera le courage de ne pas succomber à la tentation. Ces Anges sont excellents pour couper un lien karmique négatif qui nuit à votre évolution terrestre. Un lien karmique qui peut être relié à vos vies antérieures, à une dépendance quelconque ou à d'autres situations négatives. Par la suite, Aniel et Ieiazel vous dirigeront vers une meilleure qualité de vie.

L'Ange de l'amour, **Haamiah,** vous apportera tout ce que votre cœur désire pour être heureux. Cet Ange possède également le pouvoir de vous montrer les faiblesses de vos anciennes incarnations pour que vous puissiez mieux les régler dans cette vie-ci. Ainsi, vos situations karmiques négatives ne vous suivront plus dans vos prochaines incarnations.

Le Chœur des Vertus *(Du 14 octobre au 22 novembre)*

Les Anges du Chœur des Vertus font des miracles. Leur mission première est de prendre soin de votre âme et de votre corps physique. Ces Anges Vertus aident l'humain à trouver un sens à sa vie et à être heureux. Ils calment ses états d'âme afin qu'il puisse retrouver rapidement la paix et la sérénité dans son quotidien. Selon les Anges Vertus, lorsque l'humain est heureux, son âme et tout son corps le sont également. Il est donc moins enclin à se laisser envahir par la négativité, ce qui a un impact bénéfique sur sa santé mentale et physique. De plus, tous les Anges Vertus équilibrent les chakras des êtres humains et les illuminent. Lorsque les chakras sont bien alignés, l'être humain capte plus facilement les messages et les signes que les Anges lui envoient. Cela a également un effet bénéfique sur sa santé mentale et physique. « *Mieux vaut prévenir que guérir.* » Tel est le message des Anges Vertus. C'est la raison pour laquelle ces Anges Vertus envoient continuellement des signes pour que leurs enfants prennent soin d'eux-mêmes.

Les huit Anges de ce Chœur sont Hahahel, Mikhaël, Veuliah, Yelahiah, Sealiah, Ariel, Asaliah et Mihaël. L'Ange **Hahahel** possède une vibration qui motive l'être humain et le stimule. Cet Ange vous permet de vous prendre en main et d'améliorer votre vie. Telle est sa force, telle est sa mission envers l'humain. De plus, si vous avez envie de réciter une prière à l'un de vos défunts, cet Ange se fera un plaisir de la lui transmettre pour vous. On peut tout obtenir de cet Ange, pourvu qu'il s'agisse de quelque chose d'essentiel à votre bonheur.

Les Anges **Mikhaël** et **Yelahiah** possèdent une Lumière très puissante et protectrice. Celle-ci permet de démasquer les personnes négatives, méchantes et sous l'influence de l'Ombre. **Mikhaël** repérera les mauvaises énergies qui vous entourent. Il n'en tiendra qu'à vous par la suite de vous en éloigner. De toute façon, l'Ange **Yelahiah** agira comme un garde du corps et elle vous protégera. Si Yelahiah s'aperçoit que vous êtes en danger, elle vous fera un signe quelconque pour vous avertir et vous en éloigner.

L'Ange **Veuliah** prône la paix. Cet Ange vous donnera le courage de mener à terme un lien karmique qui vous dérange afin que vous puissiez en finir une fois pour toutes. Elle veut tellement voir l'humain heureux et en paix qu'elle lui apportera toute l'aide dont il aura besoin pour bien cheminer et réussir ses liens karmiques ainsi que son plan de vie.

L'Ange **Sealiah** possède une mission très importante. Elle prend soin de la santé physique des gens. Il suffit de la prier. N'oubliez pas que les Anges Vertus font des miracles!

Les Anges **Ariel** et **Asaliah** sont de grands intermédiaires. Ils écoutent toutes les prières adressées à Dieu et ils les Lui transmettent. Par la suite, ils demandent à Dieu de vous envoyer une récompense divine en guise de remerciements pour la prière que vous Lui avez adressée. L'Ange **Ariel** s'occupe également des liens karmiques qui concernent l'adoption d'un enfant dans un autre pays. Sa mission est de protéger ce lien karmique et de s'assurer qu'il soit bien accompli. L'Ange **Asaliah** est une Lumière divine qui montre la vérité. Cet Ange est le témoin de la vérité. Asaliah n'aime pas les mensonges. Donc, il est évident que cet Ange vous révélera la vérité en ce qui concerne un lien karmique. Elle vous dira les raisons qui vous unissent à une personne. Toutefois, il se peut que cette vérité vous dérange...

L'Ange **Mihaël** protège votre bonheur. Il protège votre famille d'âmes et votre famille terrestre. Sa mission est de vous rendre heureux. Donc, il travaillera en collaboration avec tous les Anges Vertus pour vous apporter que du beau et du bien dans votre vie!

Le Chœur des Principautés (Du 23 novembre au 31 décembre)

Le Chœur des Principautés a comme mission de ramener la paix sur la Terre. Les Anges Principautés veulent avant tout envoyer un message à tous les humains : « *Aimez-vous les uns les autres, aidez-vous les uns les autres.* » Telles sont les paroles symboliques de ces Anges. Le respect est très important pour les Anges Principautés. Selon eux, le respect est avant tout la base essentielle d'une relation. Ces Êtres de Lumière prônent le respect, l'amour, le partage, l'entraide et la fraternité. Telle est la force de leur Lumière envers l'être humain. Ces Anges Principautés possèdent le pouvoir d'exaucer les prières de l'humain. Il suffit de les prier. Si vos demandes n'entravent pas votre plan de vie, ces Anges Principautés se feront un devoir et un plaisir de vous les accorder.

Les huit Anges qui composent ce Chœur sont : Vehuel, Daniel, Hahasiah, Imamiah, Nanaël, Nithaël, Mebahiah et Poyel. La Lumière de l'Ange **Vehuel** réconforte tous ceux qui vivent une grande peine intérieure ou qui subissent de la contrariété. Sa Lumière console et elle rétablit la paix dans le cœur.

Il en est de même avec l'Ange **Daniel**. Il est l'Ange de la confession. Il écoute vos problèmes et il vous envoie les meilleures solutions pour que vous puissiez régler vos ennuis.

L'Ange **Hahasiah** vous transmet l'amour de Dieu. Son énergie est remplie d'amour. Cet Ange possède un grand amour divin qu'il déverse sur l'humanité. Il est la représentation parfaite du message suivant : « *Aimez-vous les uns les autres. Respectez-vous les uns les autres.* »

L'Ange **Imamiah** est le « Soutien de Dieu ». Elle est son pilier. Cet Ange protège tous les piliers des familles d'âmes ou terrestres. Imamiah les soutient et les aide à bâtir un solide mur d'acier contre les Ombres qui chercheraient à les détruire. Cet Ange leur infuse une force inébranlable devant l'adversité. Elle leur permet d'être un pilier et de demeurer debout, malgré les épreuves de la vie.

L'Ange **Nanaël** vous permet de récolter tous les bienfaits de vos labeurs. Avec lui, attendez-vous à recevoir de belles récompenses! L'Ange **Nithaël** est celui qui s'occupe de la chambre d'or de Dieu. En le priant, cet Ange se fera un plaisir de vous remettre votre part d'héritage en tant qu'enfant de Dieu. Il suffit de le prier!

L'Ange **Mebahiah** vous aidera à retrouver la foi en Dieu et en la véracité de la prière. Priez-la et vous verrez des miracles s'accomplir dans votre vie.

L'Ange **Poyel** est une avalanche de richesses, de joie, de beauté et d'harmonie. C'est pourquoi on le surnomme « le Tout ». Cet Ange attire l'abondance sur tous les plans. Il fera tout son possible pour vous rendre heureux et débordant de joie!

Le Chœur des Archanges *(Du 1ᵉʳ janvier au 9 février)*

Le Chœur des Archanges représente la justice et il règne sur la Terre pour que tous les humains puissent être en harmonie les uns avec les autres. Les Archanges sont les protégés des Anges, ils veillent à ce que leur travail soit bien fait. Ces Anges Archanges n'aiment pas voir l'humain malheureux. Ils n'aiment pas le voir stagner dans sa vie à cause d'un problème. Ces Êtres de Lumière possèdent des outils essentiels pour aider l'humain à se prendre en main, à régler ses problèmes, à réaliser ses rêves et à être heureux. Ces Anges Archanges aident également l'humain à accomplir son plan de vie, à mieux vivre ses liens karmiques ainsi qu'à protéger sa famille terrestre et sa famille d'âmes. De plus, ils l'aident à trouver son bonheur, sa quiétude, sa sérénité et sa joie de vivre. Bref, la Lumière de ces Anges Archanges vous apportera tout ce qu'il vous faut pour être en harmonie avec votre vie.

Les huit Anges qui composent ce Chœur sont Nemamiah, Yeialel, Harahel, Mitzraël, Umabel, Iah-Hel, Anauël et Mehiel. Les Anges **Nemamiah** et **Yeialel** ont la mission de ramener la paix dans le monde. **Nemamiah** est surnommé l'« Ange de la paix », car Dieu lui a donné le pouvoir de cesser les guerres et d'instaurer la paix dans le monde et, avant tout, de l'instaurer dans le cœur de l'humain. Nemamiah permet également d'éviter les erreurs karmiques. Le surnom de l'Ange **Yeialel** est « Consolation de Dieu ». Dieu lui a donné le pouvoir de réparer les pots brisés à cause de gestes, de mots et d'un comportement malsain de la part de l'être humain. Cet Ange permet également de réparer vos erreurs karmiques.

Harahel affirme : « Une famille unie est un noyau solide sur lequel vous pouvez toujours compter. » Cet Ange protège les familles d'âmes. Il réunit les membres qui en font partie. Cet Ange peut vous révéler les noms de tous ceux qui font partie de votre famille d'âmes. Il suffit de lui demander.

Les surnoms de **Mitzraël** sont « Douceur de Dieu » et « Ange consolateur de Dieu ». Sa Lumière console, réconforte et soulage. Lorsque l'humain n'est plus capable d'avancer à cause de tous les problèmes qui l'accaparent, il devrait prier Mitzraël. Sa mission sera de le consoler et de le libérer de tous ses tracas. Il est la solution aux problèmes.

Il en est de même avec l'Ange **Anauël**. Parlez-lui de votre problème et cet Ange vous enverra la solution. Cet Ange peut tout donner et il peut tout régler. Il suffit de le prier.

Umabel est l'Ange de la douceur et de la tendresse. Il n'aime pas vous voir malheureux. Il fera tout en son pouvoir pour vous rendre heureux. Cet Ange peut également vous montrer les raisons qui vous unissent à une personne par un lien karmique. Il suffit de lui demander.

L'Ange **Iah-Hel** est toujours en train de prier pour vous. Sa Lumière vous donne la volonté de réussir votre vie et d'atteindre le bonheur.

Mehiel possède en lui une force inébranlable. Rien n'arrive à le déstabiliser. Sa Lumière vous permet d'escalader les plus grosses montagnes et de surmonter les pires épreuves. Avec cet Ange, vous trouverez toujours une solution à vos problèmes!

Le Chœur des Anges *(Du 10 février au 20 mars)*

Le Chœur des Anges est l'une des maisons les plus importantes dans l'Arbre de vie. Le Chœur des Anges – lieu des Anges divins dotés d'une luminosité incommensurable – est la « maison » la plus remplie de toutes, car elle abrite toutes les âmes qui s'incarnent la première fois. Elle contient également toutes les âmes qui ont chuté et qui doivent recommencer les leçons non acquises et, finalement, les âmes qui reviennent pour venir en aide à l'humanité.

Le Chœur des Anges est la maison située la plus près de l'humain. Ce Chœur possède l'équilibre dont l'humain a tant besoin pour être heureux dans sa vie. Les Anges de ce Chœur sont des « facilitateurs », c'est-à-dire qu'ils aident les êtres humains à réussir leur vie terrestre. Ce Chœur enverra continuellement sur votre route des signes ou des situations qui vous aideront à vous prendre en main dans le but de vous aider à bien accomplir votre plan de vie. Les Anges de ce Chœur sont les protecteurs des humains. Ils font tout leur possible pour voir l'humain jouir d'une vie saine et équilibrée. Ces Anges lui feront prendre conscience de son potentiel afin qu'il puisse en tirer avantage. Ce qui le conduira vers la réussite de sa vie terrestre.

Les huit Anges de ce Chœur sont Damabiah, Manakel, Eyaël, Habuhiah, Rochel, Jabamiah, Haiaiel, et Mumiah. La mission de l'Ange **Damabiah** est de vous sortir des pires tempêtes de votre vie. Sa Lumière vous relèvera et vous conduira vers le chemin de la paix et de la sérénité. Cet Ange possède le pouvoir de vous défaire des liens karmiques qui nuisent à votre évolution.

La Lumière de l'Ange **Manakel** nourrit votre âme, ce qui aura un effet bénéfique sur votre mental et sur votre corps physique. Vous serez débordant d'énergie. Vous serez donc en forme pour régler vos problèmes et entreprendre tous les projets que vous aurez en tête.

La Lumière de l'Ange **Eyaël** vous aidera à surmonter vos peurs et à avancer vers un chemin beaucoup plus serein et harmonieux.

La Lumière de l'Ange **Habuhiah** fait des miracles. Cet Ange possède un grand pouvoir de guérison.

L'Ange **Rochel** est un « Dieu qui voit tout ». Cet Ange vous enverra plusieurs signes pour que vous puissiez vous rendre compte de ce qui se passe autour de vous. Avec cet Ange, l'impossible deviendra possible! Une mission particulière de l'Ange Rochel est d'éliminer le karma qui n'est pas utile à l'évolution de l'être humain. Ainsi, cet Ange vous aidera à ne plus traîner de lourds fardeaux de vos anciennes vies. Votre vie sera donc moins lourde à supporter.

On surnomme également l'Ange **Jabamiah** « le Tout », car elle sait tout et elle peut tout donner à celui qui réclame son aide. Cet Ange écoute vos demandes et vos prières. Par la suite, elle fera tout en son pouvoir pour vous les accorder, et ce, seulement si cela n'entrave pas votre plan de vie.

L'Ange **Haiaiel** bloque les Ombres. Il éloigne de vous les personnes qui détruisent vos énergies ou votre joie de vivre. Cet Ange vous fait prendre conscience du danger que peut provoquer l'Ombre dans votre vie.

L'Ange **Mumiah** vous permet de terminer un cycle de vie éprouvant et il vous aide à entreprendre un nouveau cycle, beaucoup plus serein, qui saura vous rendre heureux dans tous les aspects de votre vie.

CHAPITRE V

L'interaction entre les familles angéliques (Chœurs)

Pour reconnaître votre famille d'âmes ou vos liens karmiques, faites la liste de vos faiblesses. Soyez franc avec vous-même! Par la suite, trouvez les personnes de votre entourage susceptibles de vous aider à améliorer ces faiblesses. De plus, cherchez celles qui sont toujours là pour vous et qui vous aident continuellement sans rien demander en retour. Il y a de fortes chances que ces personnes fassent partie de votre famille d'âmes. Leur force vous permet de régler vos problèmes. Elles ont un rôle important dans votre plan de vie. Assurez-vous d'être à l'écoute de leurs conseils!

L'interaction entre les différentes familles angéliques est décrite ci-après.

Rappelez-vous que dans chaque cas, si la relation entre deux personnes est agréable, facile et constructive, on est en présence de deux membres de la même famille d'âmes. Par contre, si la relation est difficile, conflictuelle et destructive, il s'agit probablement d'un lien karmique. Ce lien existe sans doute pour vous aider à réussir votre plan de vie, bien que ce ne soit pas évident. Plus vite vous comprendrez son rôle et l'accepterez, plus vite vous vous en libérerez.

Le Séraphin avec les autres Chœurs

Le Séraphin apporte beaucoup d'amour. Il permet de voir la beauté en tout. Son aide est la bienvenue et tous se plaisent d'être à ses côtés. Cet être vous aidera à mettre fin à vos dépendances. Ses mots vous encourageront et vous aideront à vous prendre en main et à régler vos problèmes.

Il sera un bon compagnon de vie pour la **Domination**, toutefois, il devra rallumer souvent la flamme du désir.

Il vivra de belles aventures avec le **Chérubin, la Vertu** et la **Principauté**. Sur le plan sexuel, ils auront des atomes crochus. Toutefois, sur le plan amoureux, ils devront surmonter plusieurs épreuves. L'insécurité du Chérubin et les gaffes de la Principauté indécise lui feront perdre patience! Toutefois, avec la Vertu, il peut vivre des moments romantiques et sublimes. Ils sont deux passionnés et ils peuvent être bien ensemble, pourvu qu'ils soient tous les deux dans une énergie positive. Sinon, ils se défieront continuellement. L'attitude de la Vertu rehaussera le sentiment de jalousie du Séraphin. Lorsque le Séraphin perd confiance, il a de la difficulté à rester dans la relation. Il part à l'aventure!

Sur le plan amical, il sera un ami extraordinaire pour la **Principauté**, l'**Archange** et l'**Ange**. Il leur apportera du soutien. Il les aidera continuellement. Il sera toujours là pour eux. Il leur donnera son amitié à tout jamais. Celle-ci sera empreinte de sincérité et d'entraide.

Sur le plan professionnel, il fera une équipe formidable avec la **Puissance** et l'**Archange**. La soumission de l'Archange lui permettra de le contrôler et de lui demander n'importe quoi. L'Archange se sentira important aux yeux du Séraphin, l'Archange donnera tout ce que le Séraphin exigera de lui. Néanmoins, ce sera tout le contraire avec la **Principauté**. Ils auront de la difficulté à travailler ensemble. Ils se contrediront continuellement. À la longue, la Principauté sera épuisée et elle lui tournera le dos. Elle réalisera que le Séraphin cherche à la contrôler avec ses paroles charmeuses et mielleuses!

Lorsqu'il sera malade, il aimera l'attention et les bons soins prodigués par le **Trône**, la **Puissance** et la **Vertu**.

Il aura de la difficulté à établir une relation avec un **Trône**, une **Vertu** et un **Archange** sous l'emprise de l'Ombre. Ils auront des désaccords et des confrontations de toutes sortes.

Au niveau de la famille d'âmes, le Séraphin jouera souvent le rôle du **directeur**, du **pilier** et du **facilitateur**. Il excelle dans l'un de ces rôles!

Le Séraphin et le Séraphin

Ces deux grands passionnés peuvent créer et bâtir de grands projets ensemble. Ils s'épauleront mutuellement. Toutefois, sur le plan amoureux, il risque d'y avoir de l'orage. Ils connaissent leurs forces et leurs faiblesses. Il est évident qu'ils sauront bien jouer leurs cartes lors d'arguments. Pour que cette union dure, il faut que l'un soit soumis à l'autre. Alors, ils peuvent parvenir à faire un long chemin ensemble.

Au niveau de l'Arbre de vie, ils s'aident mutuellement à atteindre leur dernier niveau. Donc, ce ne sera pas toujours facile pour eux. Ces Séraphins doivent prouver qu'ils méritent leur ciel! Ils devront travailler ardemment et essayer de ne pas trop s'affronter. Sinon, ils devront recommencer leur niveau! Et personne ne veut recommencer le même niveau, surtout au dernier étage de l'Arbre de vie! Donc, les forces et l'énergie de l'un aideront l'autre à réussir son plan de vie et vice-versa.

Lorsque l'un des Séraphins sera envahi par la négativité, ils s'affronteront et argumenteront sur tout. Ils se défieront continuellement. Ils draineront leurs énergies.

Si les deux sont envahis par la négativité, ils se déchireront. Ils seront en bataille continuelle. Ce qui aura un impact sur leur santé mentale et physique. Il vaut mieux qu'ils s'éloignent l'un de l'autre avant qu'un événement malheureux arrive.

Le Séraphin et le Chérubin

Le Séraphin aidera énormément le Chérubin à réussir son dernier niveau. Il y a de fortes chances que ces deux personnes fassent partie d'une même famille d'âmes. Ils cheminent ensemble depuis plusieurs vies. Les conseils réfléchis du Séraphin aideront le Chérubin à se prendre en main et à aller de l'avant avec ses rêves et ses projets. L'énergie du Séraphin donnera de l'essor au Chérubin. Il l'aidera également à bien prendre soin de lui. Le Séraphin sera très attentionné pour le Chérubin lorsque celui-ci sera dans une mauvaise passe. Sachant que la faiblesse du Chérubin est le manque de confiance et l'anxiété, le Séraphin saura toujours bien le conseiller et le guider vers le chemin de la guérison.

Lorsque le Séraphin sera envahi par la négativité, il dérangera énormément la sécurité du Chérubin. L'indépendant Séraphin causera beaucoup d'émoi au Chérubin anxieux, ce qui entraînera des petites crises de jalousie et d'hystérie de la part du Chérubin! Le Séraphin ne se laissera pas importuner par un Chérubin négatif. Il lui tournera le dos. Il ne se gênera pas non plus pour lui dire le fond de sa pensée!

S'ils sont envahis par la négativité, ils se déchireront mutuellement avec des mots acerbes. Ils ne feront pas bon ménage, autant sur le plan amoureux que professionnel. Ils chercheront tous les deux à avoir raison à tout prix et ni l'un ni l'autre ne fera de compromis.

Le Séraphin et le Trône

Le Séraphin apportera souvent des solutions au Trône. Il lui permettra de se prendre en main et de régler ses problèmes. Ses paroles réconforteront le Trône. Toutefois, il ne faut pas que le Séraphin cherche trop à contrôler le Trône, sinon, il perdra sa confiance. À la longue, ce Trône se révoltera et il s'éloignera.

Lorsque le Séraphin sera envahi par la négativité, il exaspérera le Trône avec son attitude effrontée. Le Trône lui tiendra tête et le boudera. Le Séraphin aura de la difficulté à établir un lien avec un Trône négatif. Il pourra perdre facilement le contrôle dans cette situation.

Envahis par la négativité, ces deux êtres seraient à surveiller. Ils pourraient facilement se battre et s'écraser mutuellement.

Au niveau de l'Arbre de vie, l'attitude du Trône aidera le Séraphin à réussir son dernier niveau. Lorsque ces deux êtres s'aiment et s'entraident, ils font partie d'une même famille d'âme. Leur lien est important puisque le Séraphin cherche à libérer le Trône de sa prison, et le Trône cherche à aider le Séraphin à réussir son dernier plan de vie.

Le Séraphin et la Domination

Le Séraphin mettra en évidence les talents de la Domination. Il lui fera découvrir tout le potentiel qu'elle possède. L'énergie dynamique du Séraphin encouragera la Domination à aller de l'avant avec ses rêves et à les réussir. Ensemble, ils créeront, bâtiront et réaliseront des projets d'envergure.

Leurs conversations seront enrichissantes et elles apporteront toujours de belles satisfactions.

Ces deux travaillants feront une belle équipe. Ils seront ponctuels, fidèles et ils se respecteront. Ils sont en quelque sorte leurs miroirs respectifs. Leur attitude se reflète dans l'autre. Lorsque l'un n'ira pas bien, l'autre le sentira et il n'ira pas bien non plus. Ils sont capables de lire leurs pensées, tellement ils pensent et agissent de la même manière!

Au niveau de l'Arbre de vie, l'encouragement et l'entraide qu'apportera la Domination au Séraphin lui permettront de bien accomplir son plan de vie. La Domination donnera toujours de bons messages qui aideront le Séraphin dans ses choix et ses décisions. Le dynamisme du Séraphin aidera énormément la Domination à avancer dans la vie. L'énergie du Séraphin rehaussera sa confiance. Le Séraphin fera prendre conscience à la Domination de tout le potentiel qui gît en elle. Il lui permettra de l'exploiter et de l'exposer au grand jour, et ce, au grand bonheur de la Domination. Si ces deux personnes s'aiment et s'entraident, il y a de fortes chances qu'elles fassent partie de la même famille d'âmes.

Lorsque le Séraphin est envahi par la négativité, ses paroles et ses gestes brusqueront énormément la Domination. Celle-ci réagira fortement à cette attitude négative. Elle sera comme une bonne guerrière!

Le Séraphin aura de la difficulté à saisir une Domination négative. De plus, le Séraphin sera très méfiant devant une Domination négative. Ne sachant pas trop comment celle-ci réagira, il sera continuellement sur la défensive.

Si ces deux êtres sont envahis par la négativité, ils seront explosifs dans leurs gestes et leurs paroles. Ils seront deux guerriers sur le champ de bataille. Leur force sera identique. Ils ne seront pas de tout repos. Ils se confronteront continuellement. Ils ne peuvent pas vivre dans la même pièce. Sinon, l'un des deux perdra sa dignité et l'autre, sa santé mentale!

Le Séraphin et la Puissance

Le Séraphin réconfortera souvent la Puissance par la douceur et par des mots réconfortants, et vice-versa. Lorsque ces deux êtres vibrent dans la Lumière, ils ont des conversations enrichissantes. Ils se réconfortent mutuellement et ils passent du bon temps ensemble. Toutefois, la relation sera difficile si l'un des deux sombre dans la négativité. Il ne faut pas oublier que le Séraphin avance et que la Puissance recule! La Puissance vit trop dans le passé. Toutefois, si celle-ci décide d'avancer, ces deux êtres peuvent aller loin!

Au niveau de l'Arbre de vie, la Puissance étant au niveau 5 et le Séraphin au niveau 9, il existe tout de même un grand écart qui peut parfois déranger la compréhension de l'un vis-à-vis de l'autre. Toutefois, l'indécise Puissance fera travailler le Séraphin au niveau de la patience. Il faut être très patient pour essayer de comprendre une Puissance. Mais la fougue du Séraphin aidera la Puissance à avancer et à s'accomplir dans différents domaines. Elle n'aura pas le choix d'avancer avec le Séraphin, celui-ci ne la lâchera pas et l'encouragera à continuer!

Lorsque le Séraphin sera envahi par la négativité, il dérangera émotionnellement la Puissance. Celle-ci aura de la difficulté à comprendre le comportement du Séraphin. La Puissance préférera s'éloigner de ce Séraphin au lieu d'y laisser sa peau!

Le Séraphin aura de la difficulté à établir un lien avec la Puissance négative. Cela peut épuiser mentalement le Séraphin. Lui qui possède généralement un caractère fort et inébranlable aura de la difficulté à cerner la Puissance négative. Celle-ci l'étourdira, à un point tel qu'il ne saura plus comment se comporter avec elle. Par contre, pour le Séraphin, c'est tout un défi d'essayer de convaincre une Puissance de retrouver sa Lumière. C'est la raison pour laquelle le Séraphin restera pour chercher une solution et essayer de comprendre la vie de la Puissance. Toutefois, après quelques tentatives et quelques échecs, le Séraphin lâchera prise et s'éloignera de la Puissance.

Ces deux personnes seront hargneuses lorsqu'elles seront envahies par la négativité. Elles chercheront mutuellement à s'empoisonner la vie. L'attitude maladive du Séraphin s'imprégnera à tout jamais dans la tête de la Puissance négative, donc, et l'empêchera d'avancer et d'être heureuse.

Le Séraphin et la Vertu

Le Séraphin apportera souvent de bonnes idées à la Vertu. Il sera la réponse à sa question. Il l'éclairera lorsque celle-ci sera dans l'ambiguïté. Si ces deux grands passionnés parviennent à s'entendre, ils pourraient élever un empire à eux seuls! Ils ont tellement le même goût du luxe et du prestige!

Au niveau de l'Arbre de vie, la Vertu étant au niveau 4 et le Séraphin au niveau 9, ce grand écart créera des incompréhensions. Le Séraphin aura de la difficulté à comprendre les erreurs que fera la Vertu, tandis que la Vertu se sentira étouffée par les recommandations du Séraphin. La Vertu veut prouver qu'elle est capable d'agir à sa manière. La Vertu n'a pas tout à fait tort. Elle est à ce niveau pour apprendre et comprendre les aspects de la vie. Donc, il est normal pour elle d'explorer les avenues qui se présenteront sur son chemin. Le Séraphin, ayant déjà passé par cet apprentissage, n'a pas besoin de prendre autant de chemins pour obtenir ce qu'il désire.

Le Séraphin agit également selon sa puissance et le niveau de sa maison (9). Il sait ce qu'il veut et il se dirige exactement aux endroits qui l'amèneront à réaliser ses projets, à régler ses problèmes, etc. La Vertu doit faire plusieurs détours avant d'arriver à la destination finale. Ces deux êtres auront de la difficulté à comprendre les agissements de l'un et de l'autre. Ils sont deux êtres extrêmement intelligents, francs et directs. Ils ne se gêneront pas pour dire ce qu'ils pensent. Toutefois, ils ne sont pas rancuniers! Ce sera la force de leur équipe. Le Séraphin éclairera le chemin de la Vertu, il lui donnera de bonnes idées pour aller de l'avant avec ses projets. La Vertu, elle, aidera le Séraphin à calmer ses états d'âme. Elle cherchera à l'apaiser et à lui faire entendre raison, ce qui méritera au Séraphin la dernière clé pour se libérer de ses vies terrestres!

Lorsque le Séraphin sera envahi par la négativité, la Vertu ne se gênera pas pour le lui dire. Elle lui fera voir son attitude négative. Elle sera son miroir. Elle lui en fera voir de toutes les couleurs. De plus, elle lui fera comprendre que lorsqu'il est dans cet état, elle ne veut pas le voir ni lui parler. Donc, elle lui tournera le dos. Si le Séraphin négatif tient énormément à la Vertu, il devra changer d'attitude, sinon, elle lui tournera le dos et mettra un terme à la relation. La Vertu en Lumière ne tolère pas les écarts de conduite d'un Séraphin en colère et négatif. Elle préfère s'éloigner plutôt que de rester dans cette relation malsaine.

Le Séraphin aura de la difficulté à parler à une Vertu négative. Si une Vertu ne peut pas endurer un Séraphin négatif, il en est de même pour le Séraphin. Il ne peut pas endurer une Vertu négative. Le Séraphin n'a pas de temps à perdre à écouter la Vertu se plaindre de tout et de rien! Il préfère s'en aller et vivre de meilleures situations. Il est évident que cela provoquera de la colère chez la Vertu. Si elle cherche de la compassion de la part du Séraphin, elle sera très déçue puisque celui-ci l'ignorera complètement!

Si les deux sont négatifs, ils ne pourront pas vivre dans la même pièce. Ils crieront leur désarroi mutuel. On a affaire à deux têtes fortes qui ne mâchent pas leurs mots. Ça provoquera une guerre! Il est préférable que ces deux êtres s'éloignent l'un de l'autre, et ce, pour le bien de leur santé mentale et physique. Ils sont très dangereux ensemble. Ils peuvent s'entretuer!

Le Séraphin et la Principauté

Le Séraphin sera heureux d'apporter de l'aide à la Principauté. Ses idées innovatrices aideront la Principauté à avancer et à créer de beaux projets. Le seul petit défaut est que le Séraphin est trop vite pour la Principauté. Celle-ci doit analyser chaque situation et chaque détail avant de mettre un projet sur pied. Cela pourrait faire perdre patience au Séraphin!

Au niveau de l'Arbre de vie, la Principauté étant au niveau 3 et le Séraphin au niveau 9, l'énergie est perturbée. Le Séraphin aura de la difficulté à comprendre la lenteur de la Principauté. Son attitude dominatrice étourdira énormément la Principauté. L'un court (Séraphin) et l'autre marche (Principauté). Il est évident qu'ils ne fonctionnent pas selon la même cadence. L'énergie du Séraphin permettra de faire évoluer et avancer la Principauté. Il lui donnera de l'essor pour réaliser ses rêves et ses projets. L'analytique Principauté aidera le fougueux Séraphin à mieux voir ses faiblesses pour qu'il puisse éviter de graves erreurs. Telle sera la mission de l'un et de l'autre dans l'Arbre de vie. S'ils parviennent à trouver un terrain commun, ils s'aideront mutuellement à réussir leur plan de vie et à obtenir la clé de leur plancher respectif!

Lorsque le Séraphin sera envahi par la négativité, il déroutera totalement la Principauté. Après plusieurs crises d'hystérie, la Principauté s'éloignera du Séraphin. Sinon, cette Principauté y laissera sa peau et elle en est consciente. Elle mettra donc un terme assez rapidement à la relation qu'elle entretient avec le Séraphin.

Le Séraphin aura de la difficulté à cerner une Principauté négative. Il cherchera à la comprendre pour mieux l'aider. Toutefois, le Séraphin réalisera, et ce, après plusieurs tentatives, qu'il n'existe aucun remède miracle pour aider une Principauté négative. Le seul remède est de l'ignorer lors de périodes de crise ou de s'en éloigner!

Si les deux sont négatifs, ils se déchireront mutuellement par des paroles vindicatives. Ils seront envahis par des sentiments de haine et ils se lanceront des pierres! Qui attaquera le premier? Qui fera davantage mal à l'autre? Qui fera tomber l'autre le premier? Ils seront deux guerriers qui se battront jusqu'à ce que l'un tombe!

Le Séraphin et l'Archange

Le Séraphin sera très dévoué aux causes humanitaires de l'Archange. Ses propositions et ses précieux conseils aideront énormément l'Archange dans l'accomplissement de ses tâches. Ils auront une belle complicité et ils s'entendront bien. Leur vision du futur se ressemble, donc, ils auront de belles conversations sur ce sujet. Ces deux individus ne s'ennuieront jamais et ils auront du plaisir à travailler ensemble et à bâtir des projets.

Au niveau de l'Arbre de vie, l'Archange est au niveau 2 et le Séraphin au niveau 9. Il existe un grand écart entre eux. Malgré le fait qu'ils peuvent bien s'entendre, ce grand écart leur nuira lors de décisions importantes. L'Archange ne voulant faire qu'à sa tête dérangera énormément le Séraphin intellectuel qui possède toutes les réponses aux questions et qui sait pertinemment que l'Archange fera une erreur, s'il agit comme il le désire. Cela provoquera de la dualité entre eux. Tant et aussi longtemps que l'Archange se laissera dominer par le Séraphin, tout ira bien. La journée où l'Archange décidera de faire à sa tête, les problèmes commenceront! Malgré tout, le Séraphin aidera énormément l'Archange à se tailler une place dans la société. Il ouvrira des portes importantes qui faciliteront le chemin de l'Archange. Néanmoins, l'Archange récompensera les bonnes actions du Séraphin. Ils s'aideront énormément lorsqu'il s'agira de soutenir des causes humanitaires. Ils feront une équipe du tonnerre.

Lorsque le Séraphin sera envahi par la négativité, il écrasera et il effrayera l'Archange. Si l'Archange possède des sentiments pour ce Séraphin, il endurera. L'Archange est doté d'une patience et d'une endurance incomparable. Tant et aussi longtemps que l'Archange aime une personne, il va l'endurer et espérer qu'un jour, elle changera d'attitude. C'est exactement ce qu'il fera avec le Séraphin négatif. Toutefois, lorsque l'Archange en aura assez, il partira sans aucun avertissement!

Le Séraphin perdra souvent patience et le contrôle avec un Archange négatif. Il est évident qu'il ne restera pas longtemps dans cette relation. Le dépressif et incompréhensible Archange jouera beaucoup sur les humeurs du Séraphin. Malgré le fait que le Séraphin sera patient, il arrivera que l'Archange négatif bouscule ses limites. Il préférera quitter cet Archange négatif plutôt que de rester à s'épuiser à essayer de le comprendre!

Dans la négativité de part et d'autre, nous serons devant deux ennemis. Ils s'attaqueront mutuellement par des mots et des gestes qui peuvent assommer autant l'un comme l'autre. Il est préférable pour eux de s'éviter.

Le Séraphin et l'Ange

Le Séraphin gâtera énormément l'Ange. L'aide qu'il lui apportera est incommensurable. Il fera tout son possible pour aider l'Ange dans ses tâches quotidiennes. Le voir heureux rendra heureux le Séraphin. Le Séraphin se sentira très utile aux yeux de l'Ange. Il faut dire également que l'Ange le récompensera par de belles paroles et des mots d'encouragements. Ces deux individus s'entraideront à leur manière. Ils s'encourageront et ils se respecteront énormément. Lorsque l'un n'ira pas bien, l'autre l'aidera.

Au niveau de l'Arbre de vie, malgré le fait que l'Ange est au niveau 1, cela ne l'empêche pas d'être très lié au Séraphin du niveau 9. Il ne faut pas oublier que plusieurs personnes de la maison 1 (le Chœur des Anges) ont réussi toutes les étapes de l'Arbre et qu'elles sont revenues pour aider des personnes en particulier. Si vous êtes un Séraphin et que vous connaissez une personne de la maison 1, celle-ci est venue vous aider à réussir votre maison 9. Son attitude et sa façon d'agir vous permettront d'atteindre le sommet et de réussir votre plan de vie. Il y aura parfois des accrochages, des discordes, mais vous vous aiderez mutuellement à réussir vos plans de vie. Le Séraphin, en déployant autant d'énergie à aider l'Ange, lui permet de réussir la raison pour laquelle il était revenu sur Terre! Donc, ces deux individus ont besoin de l'un comme de l'autre pour parfaire leurs connaissances et pour réussir leur venue sur Terre. Ces deux individus peuvent facilement faire partie d'une même famille d'âmes, sauf si l'Ange est une nouvelle âme ou une âme qui a chuté. Toutefois, la mission du Séraphin est d'aider ces âmes à réussir leur maison pour qu'elles puissent monter dans l'Arbre de vie et se diriger au niveau 2, la maison des Archanges.

Lorsque le Séraphin sera envahi par la négativité, il dérangera énormément les émotions de l'Ange. À un point tel qu'il peut le rendre malade.

Ce sensible Ange aura de la difficulté à comprendre l'attitude négative du Séraphin. Il cherchera à l'aider à trouver sa Lumière, toutefois, lorsqu'il s'apercevra que ce Séraphin ne veut rien savoir, l'Ange s'en ira. Si l'Ange reste, c'est sa santé mentale qui en écopera et il le sait. Donc, il préfère quitter ce Séraphin. Ce ne sera pas facile, mais pour son bien-être, il n'aura pas le choix de le faire. De plus, il est dangereux de rester avec le Séraphin négatif. Celui-ci peut tout soutirer à l'Ange, même son estime! Donc, il vaut mieux que l'Ange s'éloigne de ce Séraphin diabolique!

Le Séraphin aura de la difficulté à tolérer un Ange négatif. Il risque de perdre son contrôle. Il n'essayera pas longtemps d'aider cet Ange négatif. Il lui tournera le dos assez rapidement!

Si ces deux personnes sont négatives, elles seront jalouses l'une de l'autre et s'écraseront par des paroles mesquines. Elles parleront dans le dos de l'autre. Elles peuvent facilement détruire une réputation en divulguant des méchancetés sur l'autre.

Le Chérubin et les autres Chœurs

Le joyeux Chérubin apportera beaucoup de joie et de bonheur auprès des siens. Ce grand sensible se soucie de tout le monde. Il s'assure que tout le monde va bien. Lorsqu'il vous aime, il prend bien soin de vous. Il vous soutient dans vos épreuves. Il vous apporte de bonnes solutions et il vous donne d'astucieux conseils. Votre bien-être lui tient à cœur et il fera tout son possible pour vous voir heureux.

Il sera toujours là lorsque vous lui réclamerez de l'aide. Il possède un cœur bon et généreux. Le bonheur de sa famille lui tient à cœur, il lui est très dévoué. Il protège continuellement les siens, il voit à leur bien-être et à leur sécurité.

Il sera un excellent compagnon de vie pour un autre **Chérubin**, pour un **Trône**, pour un **Archange** et pour un **Ange**. Il saura les sécuriser, les aimer et les gâter. Malgré tout, l'Ange sera son préféré. Il pourrait vivre des années avec lui, sans chercher ailleurs. Ils forment un foyer solide et heureux, à la condition qu'ils vibrent dans la Lumière. Sinon, ce sera la catastrophe pour les deux!

Il vivra de belles aventures avec la **Vertu**. Sur le plan sexuel, ce sera explosif! Toutefois, sur le plan amoureux, ils auront souvent des confrontations. La Vertu risque de faire dépenser ce charmant Chérubin pour tous ses caprices. Lui qui est tellement économe, il risque de déguerpir assez rapidement lorsque les factures commenceront à entrer! Il vivra également de belles aventures sexuelles avec le **Séraphin**.

Sur le plan amical, il sera un ami extraordinaire pour le **Trône**, la **Vertu**, la **Principauté** et l'**Ange**. Il leur apportera tout le réconfort dont ils ont besoin pour continuer leur route et réussir leur plan de vie. Leurs conversations seront animées et intenses. L'humour du Chérubin les fera rire. Ils auront du plaisir ensemble et ils passeront des soirées merveilleuses à se taquiner et à se divertir devant un repas copieux, une coupe de vin, un bon film, un spectacle …

Sur le plan professionnel, il fera une équipe du tonnerre avec le **Trône**, la **Domination**, la **Puissance**, la **Vertu**, la **Principauté** et l'**Archange**. Il connaîtra de belles associations avec le Trône. Ils ont des goûts communs, ce qui facilite leur association. Toutefois, l'association sera compliquée avec la Domination. Ils sont de bons coéquipiers mais pas de bons associés! La Puissance stimulera le Chérubin, elle l'aidera à se surpasser! Malgré la confrontation avec la Vertu, ensemble, ils parviendront tout de même à bâtir de beaux projets. Avec la Principauté, il peut s'attendre à vivre de belles réussites, et, finalement, avec l'Archange, il partage des affinités qui leur permettent de travailler longtemps ensemble. Ils sont d'excellents compères.

Lorsqu'il sera malade, le Chérubin appréciera l'attention et les bons soins prodigués par le **Trône**, la **Principauté** et l'**Ange**.

Il aura de la difficulté à établir une relation avec une **Domination** et une **Vertu** sous l'emprise de l'Ombre. Ils vivront des désaccords et des confrontations de toutes sortes.

Au niveau de la famille d'âmes, le Chérubin jouera souvent le rôle du **noyau familial**, du **pilier**, du **facilitateur** et de la **bouée de sauvetage**. Il excelle dans tous ces rôles. Généralement, il tient la plupart de ces rôles auprès de ses familles d'âmes et terrestres!

Le Chérubin et le Séraphin

(Voir aussi *Le Séraphin et le Chérubin*)

Les paroles du Chérubin encourageront énormément le Séraphin à réaliser ses rêves et ses projets. Ils s'entraideront mutuellement et ils parviendront à trouver les réponses à leurs questions. Lorsque le Chérubin sera envahi par la négativité, il fera exploser le Séraphin. Celui-ci aura de la difficulté à comprendre les états d'âme du Chérubin; il préférera s'en aller. Il laissera tomber le Chérubin et le rayera de sa liste d'amis! Il en sera de même si le Séraphin est négatif. La santé mentale du Chérubin en sera affectée. Si le Chérubin demeure tout de même dans la relation, il sombrera dans une dépression rapidement et son manque de confiance prendra de l'ampleur. Il vaut mieux éviter un Séraphin négatif.

Le Chérubin et le Chérubin

Ils s'entraideront mutuellement. Ils trouveront toujours de bonnes solutions pour régler leurs problèmes. Ils s'appuieront dans leurs démarches. Ils se conseilleront l'un et l'autre dans le but d'atteindre leurs objectifs. Ils savent ce qu'ils veulent et ils feront tout pour l'obtenir. La sécurité primera chez ces deux Chérubins. Ils seront compréhensifs vis-à-vis la vie de chacun. Sur le plan amoureux, ils réussiront leur union si des enfants sont impliqués. Sinon, ils trouveront leur vie terne et sans éclat.

Au niveau de l'Arbre de vie, ils s'entraideront et ils s'encourageront pour réussir leur niveau 8 et passer à l'étape suivante, la dernière pour eux. Si vous entretenez une relation agréable et constructive avec un Chérubin, ce dernier fait sans doute partie de votre famille d'âmes. Vous travaillez ensemble vos plans de vie depuis plusieurs incarnations. Toutefois, s'il existe de la dualité entre vous, vous êtes liés alors par un lien karmique. Ce lien est nécessaire et voulu pour vous aider à atteindre le niveau supérieur dans l'Arbre de vie, soit le niveau 9. Ne le négligez pas.

Lorsque l'un des deux est envahi par la négativité, la santé mentale de l'autre est passablement affectée. Des angoisses surgiront, un manque de confiance se fera sentir, bref toute une gamme d'émotions seront vécues devant la négativité de son partenaire.

S'ils sont envahis tous les deux par la négativité, ces êtres se disputeront jusqu'à ce que l'un cède, même s'ils doivent y laisser des plumes! Leur dualité les amènera à se déchirer émotionnellement et mentalement.

Le Chérubin et le Trône

Leurs conversations seront toujours enrichissantes. L'attitude du Trône fascine le Chérubin. Ils ont des goûts communs et ils savent les mettre en évidence. Ils se complètent bien, et ce, sur plusieurs aspects de la vie. Lorsque l'un sera malade, l'autre en prendra bien soin. Ils font une équipe du tonnerre lorsqu'il s'agit d'organiser une activité. Le Trône voit aux détails et le Chérubin s'occupe des dépenses!

Seul un Chérubin peut calmer les états d'âme d'un Trône, c'est la raison pour laquelle ces deux individus se collent l'un à l'autre. Ils sont aimantés! Ils ont besoin de l'un comme de l'autre pour avancer dans la vie. Le Chérubin apportera une base solide au Trône qui l'appréciera.

Au niveau de l'Arbre de vie, l'intrépide et audacieux Trône aidera énormément le Chérubin à réussir son plan de vie et à accéder au niveau supérieur, tandis que les paroles réconfortantes et les bons conseils du Chérubin aideront le Trône à se prendre en main, à trouver le chemin du bonheur et à se libérer de sa prison karmique.

Lorsque le Chérubin sera dans la négativité, il dérangera émotionnellement le Trône. Ce sensible Trône se repliera sur lui-même et ira réfléchir sur la relation qui l'unit au Chérubin. Lorsqu'un Trône se sent trahi, sa confiance n'est plus. Donc, il préfère partir que de rester dans une relation qui le détruit complètement! Lorsque le Trône partira, le Chérubin réalisera qu'il a perdu un grand allié dans sa vie, mais il sera trop tard pour rattraper le Trône.

Le Chérubin aura de la difficulté à établir un lien avec un Trône négatif. Il lui en fera voir de toutes les couleurs!

Si les deux partenaires sont dans la négativité, mieux vaut s'éloigner que de rester. Leur amertume leur dictera des paroles méchantes et destructives.

Le Chérubin et la Domination

Le Chérubin viendra souvent épauler la Domination dans l'élaboration de ses tâches. Les conseils judicieux du Chérubin permettront à la Domination de faire des choix sensés qui auront un impact bénéfique sur sa vie. Lorsqu'elle aura besoin d'aide, ce charmant Chérubin sera toujours présent et il dépannera continuellement la Domination.

Cependant, l'une des faiblesses de la Domination est de se sentir supérieure aux autres, ce qui dérange énormément le Chérubin si elle agit de la sorte avec lui. Si la Domination se laisse guider par le Chérubin, celui-ci lui donnera tout ce qu'elle désire. Par contre, la journée où le Chérubin se sentira dominé par la Domination, il partira et celle-ci perdra une aide importante.

Au niveau de l'Arbre de vie, les sages messages et les pensées positives que prodiguera la Domination au Chérubin aideront ce dernier à bien réussir son plan de vie et à accéder au niveau supérieur. La Domination l'encouragera à avancer et à atteindre ses buts. D'autre part, le sourire chaleureux, les mots doux et la tendresse du Chérubin sécuriseront la Domination et lui permettront d'exploiter son potentiel au maximum!

Lorsque le Chérubin sera envahi par la négativité, la Domination le défiera totalement. Il peut y avoir des flammèches! Le fougueux Chérubin ne fera pas peur à la puissante Domination! Il est mieux de bien s'armer car la Domination a plus d'un tour dans son sac!

Le Chérubin aura de la difficulté à saisir une Domination négative. Elle lui fera peur. Il préférera lui tourner le dos que de la défier! Il sait pertinemment bien qu'il ne parviendra pas à calmer sa colère, donc, il préfère se retirer que d'y laisser sa peau! Une Domination négative est un vrai vampire d'énergie!

Lorsque les deux personnes seront envahies par la négativité, elles seront malignes et dangereuses. Elles éprouveront un malin plaisir à se détruire mutuellement par des paroles et des gestes malicieux. Il vaut mieux qu'elles s'évitent, sinon elles courent à leur perte!

Le Chérubin et la Puissance

Le Chérubin prendra bien soin de la Puissance. Ses mots doux, sa générosité et sa tendresse réconforteront la Puissance. Ce patient Chérubin prendra le temps d'écouter tous les problèmes de la Puissance et lui donner son point de vue par la suite. Il lui trouvera de bonnes solutions pour que la Puissance puisse s'en sortir. L'énergie de la Puissance stimule énormément le Chérubin, c'est pourquoi celui-ci sera attentif aux besoins de la Puissance. La Puissance se sent protégée et aimée du Chérubin. Elle a besoin d'attention et elle sera bien servie avec le Chérubin. Toutefois, le côté pantouflard du Chérubin l'ennuiera, ce qui risque de blesser et de frustrer le Chérubin!

Au niveau de l'Arbre de vie, la Puissance étant au niveau 5 et le Chérubin au niveau 8, ils sont légèrement éloignés l'un de l'autre, ce qui peut parfois affecter la compréhension de l'un vis-à-vis de l'autre. La Puissance étant indécise et le Chérubin sachant ce qu'il veut, il en ressort quelques fois des petits désagréments. Toutefois, le Chérubin possède une patience exemplaire qui saura plaire à la Puissance. Mais il ne faudra pas que la Puissance exagère, sinon, elle perdra rapidement le Chérubin! Malgré tout, l'indécise Puissance aidera le Chérubin dans la réalisation de ses projets, tandis que le Chérubin aidera la Puissance à trouver un sens à sa vie et à être heureuse.

Un Chérubin envahi par la négativité perturbera énormément la Puissance. Toutefois, celle-ci le défiera avant de le quitter. Il en résultera des tempêtes de mots blessants qui iront droit au cœur de chacun et que la Puissance n'oubliera pas de sitôt.

Le Chérubin aura également de la difficulté à établir un lien avec la Puissance négative. Elle sera trop portée à jouer à la victime et à se plaindre. Le sensible Chérubin en sera dérangé. La négativité de la Puissance risque de faire naître un sentiment de frustration chez le Chérubin qui préférera s'éloigner que de vivre toutes sortes d'émotions perturbant sa tranquillité d'esprit.

Si elles sont toutes les deux envahies par la négativité, ces deux personnes seront hostiles l'une envers l'autre et chercheront mutuellement à s'empoisonner la vie. On assistera à des confrontations de taille que seule la Loi pourra régler!

Le Chérubin et la Vertu

Le Chérubin apportera beaucoup de joie dans la vie de la Vertu. Ils auront du plaisir ensemble. Ils se taquineront et s'amuseront. Ils sont vifs d'esprit et ont la réplique facile. La Vertu se sentira bien dans les bras du Chérubin qui saura calmer la Vertu lors de périodes difficiles. Ses mots réconfortants et doux aideront la Vertu à ne pas abandonner et à continuer sa route. La Vertu se sentira en sécurité avec le Chérubin. Il n'y aura pas de limite pour le Chérubin quand il sera question de venir en aide à la Vertu. Il peut la dépanner financièrement, l'aider à réaliser ses rêves, ses projets, etc. Il peut aller à l'autre bout du monde pour lui faire plaisir. La Vertu se sent importante aux yeux du Chérubin et c'est l'une des raisons pour lesquelles la Vertu apprécie la présence du Chérubin dans sa vie.

Au niveau de l'Arbre de vie, la Vertu étant au niveau 4 et le Chérubin au niveau 8, l'écart entre eux apportera quelques fois des petits désagréments dans leur manière de voir les situations de la vie. Le Chérubin aura de la difficulté à comprendre les agissements de la Vertu, tandis que la Vertu cherchera à faire à sa tête, elle veut prouver au Chérubin qu'elle est capable de réussir sans son aide. Elle le repoussera, ce qui embêtera énormément le Chérubin. Au niveau 4, il est normal que la Vertu ait besoin de se prouver à elle-même qu'elle peut réussir seule. Il est évident qu'elle commettra des erreurs, toutefois, c'est ainsi que nous apprenons tous. Le Chérubin aura de la difficulté à la comprendre. Lui, il sait où il va! Ils auront des discussions animées sur leur façon de penser et de voir la vie. Ni l'un ni l'autre n'aura tort puisqu'ils évoluent selon leur niveau dans l'Arbre de vie. Toutefois, ce sera difficile autant à l'un comme à l'autre de l'admettre! La patience et les conseils précieux du Chérubin calmeront la fougueuse Vertu et l'aideront à mieux voir ce qui se passe autour d'elle. Intuitive, la Vertu aidera le Chérubin à éviter des ennuis. Son flair permettra au Chérubin de faire des choix à la hauteur de ses attentes et à éviter des catastrophes!

Lorsque le Chérubin sera négatif, la Vertu ne se gênera pas pour le lui dire. Elle lui fera voir son attitude négative et elle le boudera jusqu'à ce qu'il change. Si le Chérubin ne change pas, il est évident que la Vertu s'en ira. Elle n'a rien à faire d'un Chérubin qui se plaint continuellement. La Vertu ne perd pas son temps dans des situations sans issue. Elle préfère quitter et aller voir ailleurs que de rester dans une relation qui nuit à son bien-être! Il est évident que la perte de la Vertu dérangera le Chérubin. Elle mettait un peu d'éclat dans sa vie morne!

Le Chérubin aura de la difficulté à parler à une Vertu négative. Il sait que cela risque de lui coûter très cher. La Vertu se plaindra continuellement et elle s'organisera pour blâmer le Chérubin de ce qui se passe dans sa vie. Elle s'obstinera continuellement avec le Chérubin, ne lui laissant pas la chance de placer un mot. Cette attitude fera exploser le Chérubin. Son humeur en sera affectée. Il préférera fermer la porte à la Vertu avant de perdre totalement patience. Sans qu'elle veuille l'admettre, la présence et la grande générosité du Chérubin manqueront à la Vertu.

Ces deux personnes, si elles sont négatives, s'attaqueront dans leur intimité. Ils chercheront mutuellement à s'écraser. La santé mentale du Chérubin en subira les contrecoups tandis que la Vertu s'épuisera physiquement.

Le Chérubin et la Principauté

Le Chérubin aidera énormément la Principauté. Ses mots l'encourageront à avancer et à aller de l'avant avec ses rêves et ses projets. La Principauté se sentira protégée et aimée du Chérubin. Elle appréciera énormément tous les bienfaits qu'il lui apportera. Il deviendra un bon confident. La Principauté est consciente que ce Chérubin sera à l'écoute de ses besoins et qu'il respectera ses secrets. De plus, les judicieux conseils que lui donnera le Chérubin l'aideront à se prendre en main et à avoir confiance en son potentiel. Pour le Chérubin, l'aide qu'il apportera à la Principauté favorisera sa confiance. Sachant que la Principauté appréciera son dévouement envers elle, son ego en sera flatté. Il se sentira important aux yeux de la Principauté et cela vaut tout l'or du monde!

Lorsque l'un des deux sera malade, l'autre saura en prendre soin. Ils forment une belle équipe et ils réussissent généralement tout ce qu'ils entreprennent. Leurs idées et leurs projets connaîtront de bons succès. Leur patience et leur compréhension les aideront souvent à affronter de grandes épreuves, à réaliser de beaux rêves et à réussir de grands projets.

Toutefois, ce sera différent lorsque l'un ou l'autre sera envahi par la négativité. L'entêtement du Chérubin dérangera énormément la Principauté. Elle le boudera et elle l'enverra paître. Le Chérubin deviendra froid et distant avec la Principauté. Tout cela provoquera quelques fois des orages au sein de leur relation. Néanmoins, ils seront toujours en mesure de se réconcilier.

Si ces deux personnes sont envahies par la négativité, elles se jalouseront l'une et l'autre. Elles créeront des conflits de toutes sortes par leur attitude. Elles chercheront à entraîner leurs proches dans leurs batailles.

Au niveau de l'Arbre de vie, la Principauté étant au niveau 3 et le Chérubin au niveau 8, l'écart entre eux apportera quelques fois des déceptions. Le Chérubin cherchera à contrôler la vie de la Principauté. Cette dernière aura tendance à fuir plutôt qu'à s'imposer, ce qui dérangera énormément le Chérubin. Il ne comprendra pas les raisons pour lesquelles la Principauté s'éloigne de lui.

De plus, le Chérubin n'aimant pas partager ses amitiés, il sera dérangé par l'attitude de la Principauté qui parle à tout le monde! Elle se lie facilement d'amitié et tout le monde est bienvenu chez elle. Le Chérubin n'aime pas trop la visite! Étant au niveau 3, il est normal que la Principauté ait besoin d'amis. Elle aime la diversité, mais le pantouflard Chérubin est bien lorsqu'il est seul avec la Principauté!

Ces deux individus agissent et évoluent selon leur niveau dans l'Arbre de vie. Toutefois, ce sera difficile autant pour l'un comme pour l'autre de changer! Malgré tout, l'entraide et l'écoute du Chérubin aidera la Principauté à régler ses problèmes. Il lui apportera souvent de bonnes solutions. L'intrépide Principauté aidera le Chérubin à se faire connaître et à réaliser plusieurs de ses projets. De plus, elle lui apportera un peu de vivacité dans sa vie, quelques étincelles!

Le Chérubin et l'Archange

Le Chérubin apportera beaucoup de réconfort à l'Archange. Il verra à son bien-être et à son bonheur. Il l'aidera également dans l'élaboration de ses tâches quotidiennes. Toutefois, en retour, l'Archange remplira la vie du Chérubin de joie de vivre et de douce chaleur. Lors d'épreuves, ils s'épauleront mutuellement et ils surmonteront leurs problèmes. Ensemble, ils ont beaucoup d'endurance. En relation, ce couple peut demeurer ensemble jusqu'à ce que la mort les sépare. Néanmoins, ils ne devront pas être sous l'emprise de l'Ombre. Sinon, ils se déchireront mutuellement. Le Chérubin sous l'emprise de l'Ombre est paresseux et ne veut pas travailler. Donc, l'Archange n'aura pas le choix de le faire vivre. À la longue, ce sera pénible. De plus, le jaloux Chérubin fera des crises à ce pauvre Archange. Sa santé en écopera!

L'Archange négatif sera bouh deur, égoïste, froid et distant. Il critiquera continuellement le Chérubin sur ses allées et venues. Il fera vivre un enfer au Chérubin. Le sensible Chérubin tombera malade. Ces deux individus peuvent s'adorer, se séparer, se réconcilier, se séparer, etc… Lorsque ces deux personnes débutent une relation vers un âge plus mature, elle peut durer jusqu'à la mort de l'un des deux.

Si les deux personnes sont négatives, elles se déchireront mutuellement avec des paroles et des gestes malsains. L'attitude mesquine de l'Archange fera exploser le Chérubin qui pourra devenir menaçant. Ils n'auront rien de bon à s'apporter, sauf des ennuis!

Au niveau de l'Arbre de vie, l'Archange étant au niveau 2 et le Chérubin au niveau 8, l'écart entre eux suscitera quelques fois des conversations animées. Le Chérubin cherchera à contrôler la vie de l'Archange et à lui dire quoi faire. Mais on ne dit pas à un Archange ce qu'il doit faire. De toute façon, il fait toujours à sa tête! Il n'a pas tout à fait tort. Néanmoins, il s'occasionne souvent des problèmes à cause de son impulsivité! Par la suite, il appelle à l'aide le Chérubin qui ne se gênera pas pour dire à l'Archange qu'il aurait dû l'écouter.

Toutefois, selon leur niveau dans l'Arbre de vie, ces deux individus ont besoin de ces expériences pour parvenir à réussir leur plan de vie. Malgré tout, l'entraide et les bons conseils du Chérubin sortiront souvent l'Archange du pétrin. Il sera sa bouée de sauvetage. Il en sera de même avec l'Archange sauveur! Il donnera beaucoup de son temps au Chérubin pour qu'il puisse accomplir ses projets et les réussir. L'Archange saura le réconforter, le conseiller et surtout, lui changer les idées en le sortant et en le gâtant!

Le Chérubin et l'Ange

Le Chérubin sera la bouée de sauvetage de l'Ange! Il sera un excellent conseiller et il l'amènera partout où ce charmant Ange voudra aller. Le Chérubin sera subjugué par la douceur et le charme de l'Ange, il ne pourra pas lui résister. La force et l'équilibre du Chérubin aident l'Ange à ne pas dériver de son chemin. Un lien puissant unit ces deux êtres. Personne ne parviendra à briser ce lien, sauf eux! Ils ont beaucoup d'affinités et de respect l'un pour l'autre. L'Ange encouragera souvent le Chérubin dans ses rêves et ses projets. Il lui apportera de l'amour, de la tendresse et de la douceur. Tout pour rendre heureux le Chérubin. Seul un Ange peut apaiser la colère d'un Chérubin. L'Ange connaît les mots à prononcer pour calmer ce Chérubin lorsqu'il est envahi par la négativité.

Toutefois, lorsque l'Ange est sous l'emprise de la négativité, il étouffera le Chérubin avec ses crises de jalousie. Il deviendra sournois et imprévisible, ce qui dérangera énormément la stabilité du Chérubin. Cela provoquera parfois des orages et des moments de tension sous leur toit. Néanmoins, ils seront toujours en mesure de se réconcilier et de retrouver leur quiétude. Il n'est pas rare de voir un Chérubin et un Ange vous dire qu'ils ne s'aiment plus, et le lendemain, ils vous parlent de mariage! Ces deux individus sont mystérieux et on ne sait jamais à quoi s'attendre d'eux!

Mais dans la négativité, ces deux personnes auront tendance à se détruire. Elles peuvent même en venir aux coups. Mieux vaut qu'elles s'éloignent l'une de l'autre.

Au niveau de l'Arbre de vie, l'Ange étant au niveau 1 et le Chérubin au niveau 8, une turbulence peut être ressentie entre eux. Le Chérubin sait ce qu'il veut et l'Ange indécis change continuellement d'idée. Cela risque d'étourdir le Chérubin. De plus, ce casanier Chérubin trouvera parfois difficile de voir l'Ange courir partout! L'Ange l'essoufflera! Toutefois, l'aide précieuse du Chérubin aidera l'Ange à régler ses problèmes. Il lui apportera souvent de bonnes solutions. L'Ange, quant à lui, gâtera le Chérubin et il lui fera comprendre qu'il occupe une place importante dans sa vie.

Le Trône avec les autres Chœurs

Le Trône possède de bonnes antennes qui lui permettent de saisir les problèmes des autres facilement et il ne se gênera pas pour vous le dire. Il aura sa façon à lui de dire les choses sans froisser qui que ce soit. Il cherche à vous aider et à vous secourir de votre détresse. Il a sa façon originale de voir la vie et celle-ci ne ressemble pas du tout aux autres. Il a également sa façon bien à lui de régler les problèmes. Ce charmant Trône, s'il pouvait mettre en pratique les conseils qu'il donne aux autres, sa vie ne serait pas si compliquée! L'aide qu'il apporte aux autres est souvent l'aide dont il a lui-même besoin! Mais il n'en est pas conscient ou bien il ne veut pas en prendre conscience! Bref, le côté maternel des Trônes les oblige à prendre soin de tout le monde et à les rendre heureux.

S'il doit faire le clown pour vous faire sourire, il le fera. Il a bon cœur et il peut tout donner aux membres de sa famille pour leur faire plaisir et les rendre heureux. Il leur est très dévoué et protecteur.

Il sera un excellent compagnon de vie pour un **Chérubin**, une **Puissance**, une **Vertu**, une **Principauté**, un **Archange** et un **Ange**. Il égaiera leur vie par des cadeaux, des gâteries, des surprises de toutes sortes. Le partenaire d'un Trône ne s'ennuiera jamais à ses côtés. Il peut aller jusqu'à amener son partenaire à l'autre bout du monde pour lui offrir un souper dans un restaurant qu'il aura déniché sur le net! Le Chérubin et lui s'entendront à merveille. Il aura une vie bien rangée avec une Puissance. Avec la Vertu, il mettra à profit ses talents. Ils seront deux grands passionnés qui auront besoin de l'un comme de l'autre. Avec la Principauté, il vivra des moments de plaisirs inoubliables! Les voyages, les enfants, la famille traditionnelle seront leur bonheur. Avec l'Archange, il aura des discussions intéressantes tandis qu'aux côtés de l'Ange, il n'aura pas besoin de parler, ils se comprendront. Un regard, un geste, et l'autre aura tout deviné!

Il vivra de belles aventures avec un autre **Trône**, une **Vertu** et une **Principauté**. Sur le plan sexuel, ce sera explosif avec la Vertu! Le Trône est romantique et la Vertu est romanesque. Ils vivront des moments de délices ensemble.

Sur le plan amical, il sera un ami extraordinaire pour le **Chérubin**, le **Trône**, l'**Archange** et l'**Ange**. Il leur apportera tout le réconfort dont ils auront besoin pour continuer leur route et réussir leur plan de vie. La vivacité du Trône remplira le cœur de ces individus.

Sur le plan professionnel, il fera une équipe du tonnerre avec le **Chérubin**, la **Puissance**, la **Vertu**, la **Principauté** et l'**Ange**. Le Chérubin, la Puissance et la Principauté lui apporteront la sécurité financière. Ils s'occuperont des finances et le Trône de la gestion, de la publicité et autres. L'entregent du Trône ainsi que sa forte personnalité l'amènent à parler à tout le monde et à développer des idées originales! Avec la Vertu et l'Ange, ses talents prendront de l'ampleur. Ils feront une équipe du tonnerre. Ils peuvent produire des chefs-d'œuvre, toutefois, ils auront besoin de bons conseillers financiers et d'un bon comptable! Sinon, ils dépenseront leur argent au fur et à mesure.

Lorsque le Trône sera malade, il aimera l'attention et les bons soins prodigués par le **Chérubin**, le **Trône** et la **Puissance**.

Il aura de la difficulté à établir une relation avec un **Séraphin**, une **Domination** et un **Archange** sous l'emprise de l'Ombre. Ils auront des désaccords et des confrontations de toutes sortes.

Au niveau de la famille d'âmes, le Trône jouera souvent le rôle du **noyau familial**, du **pilier** et du **facilitateur**. Il excelle dans tous ces rôles. Il se donne à cœur et profondément.

Le Trône et le Séraphin

(Voir aussi *Le Séraphin et le Trône*)

Si le Séraphin prend le temps d'écouter les conseils du Trône, celui-ci pourrait éviter des ennuis. Cet intuitif Trône possède un flair remarquable qui pourrait aider le Séraphin à moins commettre d'erreurs. Cependant, ce fier Séraphin aura de la difficulté à comprendre le Trône et il ne sera pas toujours à l'écoute de ses conseils.

Le Trône et le Chérubin

(Voir aussi *Le Chérubin et le Trône*)

Ces deux individus se complètent très bien. Le charmeur Trône peut faire ce qu'il veut avec le Chérubin et il en profitera! De toute façon, le Chérubin adore rendre service au Trône. Il sait que le Trône le contrôle. Il n'en est pas outré en autant que le Trône ne dépasse pas les limites.

Le Trône et le Trône

Ce sont deux individus qui s'aideront mutuellement. Ils auront beaucoup de plaisir ensemble. Ils passeront des soirées merveilleuses à parler de tout et de rien devant un verre de vin et un bon repas. Ils auront des goûts similaires. Ils sont deux intuitifs à qui il sera impossible de cacher quoi que ce soit. La franchise, l'honnêteté et leur vivacité feront d'eux des êtres respectés et aimés de tous. Ils possèdent un caractère puissant et rien ne leur échappe. Ils devinent tout et ils savent tout. Ils sont comme deux enfants lorsqu'ils sont ensemble. Ils sont d'excellents amis et ils se complètent bien. Toutefois, sur le plan amoureux, ce sera un peu différent. Une union est possible s'il n'y a pas d'enfants. Ce sont deux individus qui ont besoin de câlins, de réconfort et de beaucoup d'amour. Ils requièrent toute l'attention de leur partenaire. En ayant des enfants, l'attention serait partagée, ce qui risquerait de frustrer l'un des partenaires, ou les deux, et d'aboutir à un vrai désastre.

Lorsque le Trône est sous l'emprise de la négativité, il est désagréable. Il fait des crises d'hystérie sans aucune raison, comme un enfant à qui on enlève son jouet préféré! Il deviendra rouge de colère et il se repliera sur lui-même. Il est évident que cette attitude dérangera l'autre Trône. Il ignorera le Trône en colère et lui tournera le dos. Il sera froid et distant. Ils ne seront pas de tout repos et se feront des reproches continuels. Mais puisqu'ils se connaissent bien, ils savent comment reconquérir le cœur de l'autre et se faire pardonner!

Si elles sont toutes les deux négatives, ces personnes se détruiront et auront possiblement des ennuis avec la boisson, la drogue et le jeu. Sous l'effet de la colère, elles sont extrêmement dangereuses. Elles perdent leur contrôle.

Au niveau de l'Arbre de vie, comme ils sont tous les deux dans la même maison, il y a de fortes chances que ces Trônes fassent partie de la même famille d'âmes. Ils sont venus s'aider mutuellement pour se libérer de leur prison karmique. Le Trône de Lumière éclairera le chemin du Trône négatif. Ces deux individus possèdent de belles qualités pour s'entraider et réussir leur plan de vie. Il leur suffit de se faire mutuellement confiance et de ne pas sombrer sous l'influence de l'Ombre, sinon, ils se perdront!

Le Trône et la Domination

Le Trône saura apporter du réconfort à la charmante Domination. Sa douceur, son côté maternel et son toucher calmeront les états d'âme de la Domination. Le Trône saura toujours dire le bon mot au bon moment pour soutenir la Domination. Le Trône saura écouter la Domination. Il lui donnera de bons conseils qui permettront à la Domination de faire de bons choix et de réaliser ses projets. Le Trône sera toujours disponible pour la Domination. Il sera le premier à épauler et réconforter la Domination. Cette attention particulière du Trône touchera énormément la Domination qui se sentira en sécurité auprès du Trône.

Toutefois, ce sera différent lorsque l'un ou l'autre sera dans la négativité. Ils risquent de se heurter continuellement. La moindre parole ou le moindre geste fera exploser l'autre. Le Trône cherchera à contrôler la Domination, et la Domination cherchera à écraser le Trône. L'intuitif Trône découvrira toujours les mauvais tours de la Domination. L'un jalousera le bonheur de l'autre et vice versa. Toutefois, lorsqu'ils retrouveront leur Lumière, ils se pardonneront et ils s'entraideront!

Par contre, s'ils demeurent dans leur négativité, ces deux êtres se jalouseront, se confronteront, s'écraseront et se batailleront avec des mots blessants et parfois avec des gestes brutaux. Ils pourraient perdre le contrôle de leurs émotions et causer tout un émoi aux gens de leur entourage. Ils ne peuvent pas se sentir lorsqu'ils sont sous l'emprise de l'Ombre. Puisqu'ils seront envahis par un sentiment de haine effroyable, il vaut mieux qu'ils s'éloignent jusqu'à ce que la tempête passe, si évidemment elle passe!

Au niveau de l'Arbre de vie, le Trône étant au niveau 7 et la Domination au niveau 6, il y a de fortes chances que ces deux personnes appartiennent à la même famille d'âmes. Le Trône aidera la Domination à ne pas se laisser envahir par des sentiments de haine. Il lui fera également découvrir tout le potentiel qui gît en elle. La Domination, cette messagère d'amour, aidera le Trône à se libérer de sa prison karmique. Elle lui apportera du soutien, du courage et de la détermination pour que le Trône puisse se prendre en main et réussir ses objectifs. La faiblesse de l'un sera la force de l'autre. Toutefois, il ne faut pas que l'un soit envahi par la négativité, sinon, la relation deviendra tendue et elle n'apportera rien de bon ni à l'un et à l'autre.

Le Trône et la Puissance

Le Trône aidera beaucoup la Puissance à se réaliser et à avancer vers un avenir équilibré. Il lui permettra de connaître d'autres avenues qui l'aideront à construire, bâtir et créer. La Puissance sera très fière du Trône. Elle sait pertinemment bien que sa réussite est due en partie au Trône. Le Trône ouvre les portes et la Puissance entre! Telle est leur façon de procéder; c'est une recette gagnante pour les deux! Le Trône mettra beaucoup de vivacité dans la vie de la Puissance. Il saura comment faire rire la Puissance et la divertir. Toutefois, la Puissance trouvera difficile d'essayer de suivre le Trône. Le Trône aime bouger et la Puissance aime relaxer. Ce ne sera pas toujours évident. Néanmoins, ils font tout de même une bonne équipe et ils se complètent bien sur plusieurs aspects de la vie.

Négativement, le Trône se plaindra des silences de la Puissance. Celui-ci cherchera à connaître les raisons pour lesquelles la Puissance boude. La

Puissance déplorera les agissements du Trône. Elle cherchera la solitude pour mieux réfléchir, ce qui déplaira au sensible Trône. Celui-ci pensera que la Puissance ne l'aime plus ou qu'elle veut mettre un terme à leur relation. Le Trône sera sur la défensive et explosera à la moindre parole de la Puissance. Toutefois, lorsque leur attitude s'améliorera, ils seront en mesure de discuter et de trouver un terrain d'entente. Ils vivront par la suite de belles réconciliations.

Par contre, s'ils demeurent dans leur négativité, ces deux personnes se déchireront mutuellement. La Puissance ne laissera pas la chance au Trône de s'exprimer. Cette attitude arrogante de la part de la Puissance provoquera toute une tempête d'émotions dans le cœur du Trône et celui-ci cherchera à se venger de la Puissance. Il menacera la Puissance, mais sans succès. Toutefois, si la Puissance décide de répliquer, seule la loi parviendra à régler leurs différends!

Au niveau de l'Arbre de vie, le Trône étant au niveau 7 et la Puissance au niveau 5, il y a de fortes chances que ces deux personnes appartiennent à la même famille d'âmes. Le Trône aidera la Puissance à s'épanouir en tant qu'individu, tandis que la Puissance aidera le Trône à régler ses problèmes et à s'éloigner des personnes négatives. La Puissance l'aidera également à établir un budget et à le respecter.

Toutefois, il ne faut pas que l'un soit envahi par la négativité, sinon, la relation sera tendue et elle n'apportera rien de bon ni à l'un ni à l'autre. Au lieu de s'aider, ils s'écraseront mutuellement!

Le Trône et la Vertu

Le Trône fascinera la Vertu par son sens de l'humour, sa vivacité et son ouverture d'esprit. Le Trône, lui, sera fasciné par la lucidité, la compréhension, la profondeur et le sens des affaires de la mystérieuse Vertu. Ces deux êtres auront du respect, de l'estime et de l'admiration l'un pour l'autre. Le Trône prendra bien soin de la Vertu et vice versa. Ces deux êtres se complètent bien et ils s'entendent à merveille. Ils sont deux grands passionnés et deux grands romantiques. Les précieux conseils du Trône feront éviter des dangers à la Vertu. La Vertu saura toujours dire le bon mot au bon moment pour le Trône. Toutefois, le Trône exigera beaucoup de la Vertu qui ne pourra pas toujours le contenter. La Vertu peut en devenir angoissée. Lorsqu'une Vertu est angoissée, elle devient sur ses gardes et elle n'est plus accessible. Elle fermera la porte au nez au Trône. On ne ferme pas la porte au nez à un Trône! Vous risquez de lui faire perdre les pédales! Un Trône sous l'emprise de l'Ombre n'est pas sympathique. Cela pourrait engendrer des batailles. Leur santé mentale et physique en écopera. Le Trône ne dormira plus et il souffrira d'anxiété. La Vertu se sentira mal et fatiguée. Ce sont les effets de leur négativité l'un envers l'autre. Si ces deux êtres parviennent à régler leurs conflits, ils parviendront à vivre dans la bonne humeur et leur relation s'améliorera! D'ailleurs, ils sont excellents pour parler de leurs problèmes et de leurs états d'âme!

Par contre, s'ils demeurent dans leur négativité, ils se batailleront jusqu'à ce que l'un tombe. Il faudra une tierce personne pour venir les aider à s'en sortir et à se libérer de cette torpeur qu'ils se seront causée mutuellement par leur attitude négative!

Au niveau de l'Arbre de vie, le Trône étant au niveau 7 et la Vertu au niveau 4, ils sont légèrement éloignés l'un de l'autre, ce qui peut affecter leur façon de voir la vie. Le Trône voulant mordre dans la vie, il entraînera la Vertu vers des horizons inconnus. La Vertu y fera de belles découvertes. Ensemble, ils s'aideront à réussir leur plan de vie. Leurs idées seront créatrices.

Toutefois, il ne faut pas que l'un soit envahi par la négativité, sinon, la relation deviendra malsaine et ni l'un ni l'autre aura intérêt à rester dans la relation, et ce, avec raison puisqu'elle risque de les détruire mentalement et émotionnellement.

Le Trône et la Principauté

Le Trône prendra bien soin de la Principauté. Il la gâtera et il lui donnera tout ce qui lui est possible de donner. Il développera en elle le goût de l'aventure, du voyage et du plaisir. Ils se plairont ensemble et ils passeront de merveilleux moments à contempler la lune, un ciel étoilé, etc. La Principauté réservera aussi de belles surprises au Trône. Les petites attentions de la part de la Principauté feront chavirer le cœur du Trône. La Principauté encouragera le Trône à exploiter ses talents. Sur le plan affectif, ces deux individus bâtiront un foyer heureux, stable et rempli d'amour. Ils auront beaucoup de plaisir à partager leurs opinions sur différents sujets.

Si l'un des deux tombe dans la négativité, des conséquences négatives et pénibles pour les deux s'ensuivront. Le Trône pourrait faire une dépression majeure et sombrer dans le néant par l'attitude de la Principauté, tandis que la Principauté vivra dans la culpabilité d'avoir causé du tort au Trône. Elle se pardonnera difficilement. L'amertume l'envahira et elle repoussera tous ceux qui chercheront à l'aider. Cette Principauté se punira elle-même. Elle s'empêchera d'être heureuse car elle croira avoir détruit la vie du Trône.

Au niveau de l'Arbre de vie, le Trône étant au niveau 7 et la Principauté au niveau 3, une incompréhension au niveau des comportements est à prévoir. Le Trône aura de la difficulté à accepter la sévérité de la Principauté et la Principauté critiquera la mollesse du Trône.

Il leur sera difficile, autant à l'un comme à l'autre, de changer d'attitude! Malgré tout, l'amour et le respect du Trône aideront la Principauté à s'épanouir en tant qu'individu. La Principauté calmera les états d'âme du Trône.

Le Trône et l'Archange

Le Trône sera toujours présent pour venir en aide à l'Archange. Ces deux individus chercheront à sauver la planète ensemble. Ils apporteront leur aide et ils seront dévoués à plusieurs causes. Leur vision de la vie est similaire. Ils sont des visionnaires et ils peuvent facilement en parler entre eux! Le renommé Trône aidera l'Archange à se faire connaître et à se faire respecter de tous. L'Archange respecte beaucoup le Trône. La tendresse du Trône le touche profondément. L'Archange sait que le Trône se dévoue pour les autres, comme lui. Il sait également que le Trône n'attend rien en retour. Mais l'Archange saura toujours bien récompenser le Trône, par un mot gentil, une soirée mémorable, un cadeau surprise. Toutes ces petites attentions réjouiront le cœur du Trône. Lorsque le Trône se sent apprécié et aimé, il peut tout donner par la suite. C'est pourquoi l'Archange l'aime et le respecte autant!

Si l'un des deux se laisse envahir par la négativité, ils auront de la difficulté à s'entendre. Ils commettront des erreurs de jugement, ce qui ne jouera pas en leur faveur. Ils se bouderont et ils se tiendront tête. S'ils sont tous les deux impliqués dans des projets d'envergure, cela pourrait être fatal! Toutefois, un bon dialogue les ramènera vers le droit chemin et ils pourront continuer leur route ensemble.

Mais si ces individus demeurent dans la négativité, ils en viendront à briser le cercle d'amis de chacun. Ils nuiront à leur réputation. L'un volera les idées de l'autre pour pouvoir s'enrichir à ses dépens. L'autre lui enverra des mises en garde. Ce sera le fiasco total entre eux! Ils chercheront mutuellement à détruire ce que l'autre a bâti si chèrement.

Au niveau de l'Arbre de vie, le Trône étant au niveau 7 et l'Archange au niveau 2, cet écart apportera des mésententes quant à la façon de gérer un projet ou de régler un problème. Ils risquent de ne pas être sur la même longueur d'onde. Le Trône cherchera à faire changer d'idée l'Archange, et l'Archange lui tiendra tête, voulant garder son idée première. Ces deux individus agissent et évoluent selon leur niveau dans l'Arbre de vie. Si le Trône utilise son charme, il parviendra facilement à convaincre l'Archange. Si l'Archange écoute sagement les conseils du Trône, il fera moins d'erreurs de jugement.

Le Trône et l'Ange

La vivacité du Trône remplira la vie de l'Ange. Il est évident que le Trône fera bouger l'Ange. Il planifiera plein d'activités auxquelles l'Ange n'aura pas le choix d'assister, sinon le Trône le boudera pendant des jours. L'Ange ne voulant pas vexer ni peiner le Trône, il le suivra. Si le Trône pense qu'il contrôle l'Ange, il restera surpris. Au contraire, c'est l'Ange qui contrôle le Trône. Mais il le fait d'une façon tellement rusée que le Trône ne s'en rend même pas compte! Malgré tout, l'Ange a beaucoup de respect pour le Trône. Il est de son devoir de rendre le Trône heureux. C'est pourquoi il suivra le Trône partout où il ira! L'Ange dépannera souvent le Trône, et ce, dans plusieurs aspects de la vie. Il sera toujours présent dans la vie du Trône et il lui apportera le réconfort dont le Trône a besoin. Le Trône, lui, apportera son soutien lorsque l'Ange en aura besoin. Ils sont très liés l'un à l'autre. Ces deux êtres n'ont pas besoin de se parler pour se comprendre. Ils savent ce qu'ils veulent et ils travailleront ensemble pour l'obtenir. Les faiblesses de l'un sont les forces de l'autre. Le Trône encourage l'Ange à agir. Et l'Ange agit puisqu'il se sent épaulé par le Trône! Ils forment une belle équipe et ils réussissent généralement tout ce qu'ils entreprennent. Leurs idées et leurs projets connaîtront de bons succès.

De façon négative, l'entêtement de l'Ange dérangera énormément le Trône. L'Ange aura de la difficulté à bien exprimer ses émotions. Lorsqu'il le fera sous l'effet de la colère, ce sera de façon malhabile. Il sera direct, ferme et critique, ce qui ébranlera totalement le doux Trône. Lorsque le Trône est touché émotionnellement, il se replie sur lui-même et il devient inaccessible. Pour le reconquérir, l'Ange devra faire preuve de douceur et s'excuser auprès du Trône. Sinon, le Trône le boudera pendant des années.

S'ils s'entêtent dans la négativité, la haine les envahira et ils chercheront à faire du tort à l'autre. Ils pourraient se causer de graves ennuis. Il vaut mieux pour eux de s'éloigner l'un de l'autre. Ainsi, ils éviteront des incidents fâcheux!

Au niveau de l'Arbre de vie, le Trône est au niveau 7 et l'Ange au niveau 1. Savez-vous que l'Ange revient souvent sur Terre pour venir en aide aux Trônes? L'attitude de l'Ange aidera le Trône à se libérer de sa prison karmique. L'Ange l'aidera à voir le potentiel qui est en lui et lui montrera le chemin qui le conduira à sa liberté. Toutefois, le Trône ne l'écoute pas toujours. Le Trône aime faire à sa tête et il se met parfois dans de fâcheuses positions. C'est à ce moment-là que l'Ange vient le dépanner et le libérer de ses ennuis. Il est venu tout simplement pour aider.

La Domination avec les autres Chœurs

La Domination apportera toujours des messages de réconfort aux siens. Elle les aidera à entreprendre des projets et les réussir. Elle a le cœur sur la main et elle fera tout son possible pour voir un sourire sur les lèvres de ceux qu'elle aime. Lorsque les gens apprécieront l'aide qu'elle apportera, elle se dévouera corps et âme pour leur faire plaisir. Elle les protégera des tempêtes de la vie. Le bien-être de ceux qu'elle aime lui tiendra à cœur et elle s'organisera toujours pour qu'ils soient heureux.

La Domination sera une excellente compagne de vie pour un **Séraphin**, une **Principauté** et un **Archange**. Elle égaiera leur vie par des surprises, des gâteries, des mots doux, des voyages, etc…

Elle vivra de belles aventures avec une **Puissance** et une **Principauté**. Sur le plan sexuel, ce sera explosif avec la Principauté! Toutefois, sur le plan amoureux, elle devra surmonter plusieurs épreuves avec la Puissance et la Principauté. La Puissance est difficile à plaire et la Principauté est exigeante!

Sur le plan amical, elle sera un ami extraordinaire pour la **Puissance**, la **Vertu**, l'**Archange** et l'**Ange**. Elle leur apportera tout le réconfort dont ils ont besoin pour continuer leur route et réussir leur plan de vie. Ils se plairont en sa compagnie. La Domination sera en mesure de les faire rire.

Sur le plan professionnel, elle fera une équipe du tonnerre avec le **Chérubin**, la **Puissance**, la **Vertu**, la **Principauté** et l'**Archange**. Le Chérubin, la Puissance, la Vertu et la Principauté lui apporteront la sécurité financière et des projets innovateurs qui la motiveront. L'Archange voit loin et la Domination voit grand. Ces deux individus peuvent créer des œuvres avec leurs idées et leurs projets. La réussite sera garantie avec eux. Toutefois, il ne faut pas que la négativité vienne les envahir, sinon, cela entravera leur réussite.

Lorsque la Domination sera malade, elle appréciera l'attention et les bons soins prodigués par la **Puissance** et la **Principauté**.

Elle aura de la difficulté à établir une relation avec une autre **Domination** et une **Vertu** sous l'emprise de l'Ombre. Ils auront des désaccords et des confrontations de toutes sortes.

Au niveau de la famille d'âmes, la Domination jouera souvent le rôle du **directeur d'âme**, du **noyau familial**, du **pilier** et du **rassembleur**. Elle excelle dans tous ces rôles.

La Domination et le Séraphin

(Voir aussi *Le Séraphin et la Domination*)

La Domination saura toujours transmettre de bons messages au Séraphin. Ces deux créateurs possèdent toutes les qualités pour réussir leur vie. Il suffit pour eux d'en être conscients!

La Domination et le Chérubin

(Voir aussi *Le Chérubin et la Domination*)

Ces deux individus devront se faire confiance s'ils veulent réussir leurs objectifs. Ils sont tous les deux sur leurs gardes. Le Chérubin surveille de près la Domination car il ne veut pas se faire mener par le bout du nez. La Domination surveille les allées et venues du Chérubin car elle a peur qu'il lui joue dans le dos. Ils se surveillent constamment!

La Domination et le Trône

(Voir aussi *Le Trône et la Domination*)

Voilà deux individus qui s'épauleront pour atteindre leurs buts respectifs. Leur ténacité pourrait les conduire à la réussite. Ils pourraient également atteindre le sommet grâce à leur force de caractère. Ils sont également deux créatifs. Leurs idées pourraient connaître de beaux succès.

La Domination et la Domination

Ces deux grands passionnés peuvent créer, bâtir et réaliser de grands projets ensemble. Ils s'épauleront mutuellement. Lorsque l'un sera perdu, l'autre l'aidera à se retrouver. Toutefois, lorsque la négativité les envahira, tous leurs projets s'écrouleront en même temps que l'orage éclatera. Ces deux individus peuvent s'apporter beaucoup l'un à l'autre, en autant qu'ils laissent de côté leur orgueil et leur vanité. Sinon, ils se pileront sur les pieds et ils essayeront d'écraser la création de l'autre. En agissant ainsi, ils se feront plus de tort que de bien. L'ambiance sera malsaine lorsque ces deux individus seront dans la même pièce, ce qui éloignera leur entourage. S'ils parviennent à laisser de côté leur désir d'être le meilleur, ils pourront devenir les meilleurs amis du monde et les meilleurs créateurs. Les gens parleront de leurs actions et de leur dévouement pour des causes. On vantera leur mérite et il est évident que ces Dominations seront très fières d'elles par la suite!

Par contre, si elles demeurent dans leur négativité, ces deux personnes se jalouseront. Elles batailleront pour obtenir la première place! Elles se défieront, ce qui pourrait occasionner des batailles de mots blessants. Elles pourraient facilement perdre le contrôle et causer des dégâts autour d'elles! Ces deux individus ne pourront pas se blairer ni se sentir lorsqu'ils seront sous l'emprise de l'Ombre. Ils ne voudront rien entendre ni rien régler!

Au niveau de l'Arbre de vie, ils sont tous les deux dans la même maison. Il y a de fortes chances qu'ils fassent partie de la même famille d'âmes. Ils sont venus s'aider mutuellement pour se libérer de leur prison karmique. La Domination de Lumière soutiendra et éclairera le chemin de la Domination négative. Ces deux individus possèdent de belles qualités pour s'entraider et réussir leur plan de vie. Il suffit de se faire mutuellement confiance et de ne pas sombrer sous l'influence de l'Ombre, sinon, ils se perdront et ils perdront tout!

La Domination et la Puissance

La Domination saura donner de bons conseils à la Puissance. Elle aidera la Puissance à se sortir de l'embarras. Elle lui trouvera toujours de bonnes solutions. Elle lui permettra de voir la vie sous un angle différent. Ses paroles réconfortantes agiront comme un baume sur le cœur de la Puissance. Elle lui tendra toujours la main lorsque la Puissance trébuchera. En retour, la Puissance prendra bien soin de la Domination; elle la gâtera, l'aimera et lui apportera de la chaleur. Elle verra au moindre détail et elle s'assurera que la Domination soit bien. Elle se dévouera corps et âme pour plaire à la Domination. Elle l'admirera et elle sera à son service. Il est évident que cette fière Domination se sentira importante et elle profitera de la gentillesse de la Puissance pour lui demander toutes sortes de services. Tant et aussi longtemps que la Domination n'exagérera pas, la Puissance sera à son service sans dire un mot! Elle critiquera de temps à autre, mais pas devant la Domination! Toutefois, si la Domination abuse de sa gentillesse et de son dévouement, la relation deviendra tendue et différente. Lorsque la Puissance se sentira piégée par la Domination, elle s'en libérera. Ce sera un coup dur pour la Domination. Elle aura de la difficulté à accepter le départ et la froideur de la Puissance. Toutefois, si la Domination respecte la Puissance et la remercie de sa bonté et de sa générosité, leur relation pourrait durer une éternité! Elles pensent la même chose et elles rêvent de la même chose. L'énergique Domination donnera de l'élan à la Puissance. Elle lui apportera de la vivacité, de l'action et de la joie. La Puissance ne s'en plaindra pas, sauf lorsque son corps réclamera du repos. Si la Domination prend le temps d'écouter la Puissance et de lui donner quelques jours de repos, elle lui en sera très reconnaissante.

Négativement, la Domination n'en fera qu'à sa tête! Cette attitude déplaira énormément à la Puissance. Elle le boudera. Ce que la Domination déteste et déplore le plus, c'est la bouderie! Ces deux êtres se détruiront mutuellement avec leurs paroles mesquines. Ils s'attaqueront sur des sujets sensibles qui auront l'effet d'une bombe autant pour la Domination que pour la Puissance. Cette atmosphère déplaira énormément à la Puissance et elle préférera s'éloigner de la Domination. Le départ de la Puissance déchirera énormément la Domination. Toutefois, son orgueil l'empêchera de changer son attitude et elle laissera partir la Puissance. Ce sera pour elles une grande perte mutuelle. La Domination réalisera qu'elle a besoin de la Puissance pour bien cheminer dans la vie, tandis que la Puissance réalisera que sa vie est vide sans la Domination. Par contre, elles ne peuvent pas vivre dans une énergie de bataille. Cela est trop épuisant pour la Puissance. Lorsque la Domination pile sur son orgueil, elle sait comment reconquérir la Puissance. La Puissance saura pardonner les écarts de conduite de la Domination. Elle lui donnera souvent de nouvelles chances. Mais la journée où elle décidera que c'est fini, il n'y aura plus rien à faire!

Si ces deux êtres se laissent envahir par la négativité, ils s'attaqueront brutalement. Ils feront tout pour faire tomber l'autre. Ironiquement, ils tomberont ensemble et ils seront marqués pour la vie! Leur duel les anéantira et leur causera des peines intérieures pénibles!

Au niveau de l'Arbre de vie, la Domination étant au niveau 6 et la Puissance au niveau 5, il y a de fortes chances que ces deux personnes appartiennent à la même famille d'âmes. La Domination apportera de la fraîcheur dans la vie de la Puissance. Elle l'aidera à s'épanouir et la rendra heureuse. La Domination couvrira la Puissance de cadeaux très significatifs qui combleront la Puissance. Celle-ci se sentira aimée et appréciée. Elle calmera les fougues et les états d'âme de la Domination.

Toutefois, il ne faut pas que l'une des deux soit envahie par la négativité, sinon, la relation sera tendue et elle n'apportera rien de bon ni à l'une ni à l'autre. Au lieu de s'aider, elles s'écraseront mutuellement!

La Domination et la Vertu

La Domination aidera la Vertu à réaliser de grands projets. Elle lui donnera tous les atouts nécessaires pour qu'elle puisse mettre à profit ses idées et les réussir. La Domination sera très fière de la Vertu, ce qui encouragera la Vertu à épater la Domination et à écouter ses précieux conseils. Ces deux individus connaîtront la recette gagnante pour mettre de la vivacité, de l'entregent et de l'action dans la vie de chacun. Ils savent ce qu'ils veulent et ils travailleront en équipe pour tout obtenir et ils y parviendront. Ces deux individus se complètent bien, et ce, sur plusieurs aspects. Ils mettront à profit leur talent, leur expérience et leur savoir-faire, ce qui fera d'eux des gagnants sur toute la ligne. Ils frapperont toujours à la bonne porte et ils s'éloigneront du danger. Le flair de la Vertu aidera énormément la Domination à éviter les dangers. En revanche, la Domination aidera la Vertu à se tailler une place importante dans la société.

Par contre, si l'un de ces deux êtres est négatif, ce sera la dualité entre les deux. Ils auront de la difficulté à se faire comprendre et ils s'écraseront mutuellement. Ils tiendront des propos diffamatoires l'un envers l'autre. Ce qui sera pénible pour leur entourage qui ne saura pas qui croire. Leur loyauté sera mise à l'épreuve!

S'ils demeurent dans leur négativité, ils se batailleront jusqu'à ce que l'un cède. Ils dépenseront beaucoup d'énergie pour parvenir à leurs fins et ils sortiront tous les deux meurtris de cette bataille.

Au niveau de l'Arbre de vie, la Domination étant au niveau 6 et la Vertu au niveau 4, ils sont légèrement éloignés l'un de l'autre, ce qui peut influencer leur façon de voir la vie. La Domination cherchera à contrôler la vie de la Vertu. Mais la Vertu voudra montrer à la Domination qu'elle est capable de réussir et qu'elle est aussi intelligente qu'elle. Toutefois, elles ont de belles passions communes et elles pourront facilement réaliser de grands projets, si elles mettent leur talent à l'œuvre!

La Domination et la Principauté

La Domination saura se faire aimer de la Principauté. Ces deux êtres aiment la vie et ils travailleront mutuellement pour réussir tout ce qu'ils entreprendront ensemble. La Principauté soutiendra la Domination dans tous ses agissements. Tandis que la Domination aidera la Principauté à atteindre ses objectifs. Ensemble, ils forment une belle équipe dynamique et ils parlent le même langage. Les paroles de la Principauté réconforteront la Domination et l'aideront dans l'élaboration de ses projets. L'énergie de la Domination permettra à la Principauté de se prendre en main et de foncer droit vers un avenir plus équilibré et en fonction de ses rêves.

Le négativisme aura des conséquences pénibles pour les deux. Ils stagneront et ils deviendront méfiants l'un envers l'autre, ce qui provoquera des querelles épuisantes pour le moral! L'un cherche des solutions et l'autre les fuit. Si les deux arrivent à une entente, ils parviendront à surmonter les tempêtes émotionnelles.

Si les deux s'entêtent dans leur négativisme, ils s'attaqueront et leur duel les anéantira et leur causera des peines intérieures pénibles!

Au niveau de l'Arbre de vie, la Domination étant au niveau 6 et la Principauté au niveau 3, cet écart entre eux apportera parfois de l'incompréhension au sujet de l'action à entreprendre pour régler leurs problèmes. Ils auront également de la difficulté à admettre leurs erreurs. La Domination sera trop orgueilleuse pour s'abaisser au niveau de la Principauté et la fierté de la Principauté l'empêchera également d'admettre son erreur.

Évidemment, ces deux individus agissent et évoluent selon leur niveau dans l'Arbre de vie. Changer leur attitude ne sera pas facile. Malgré tout, ils peuvent s'apporter beaucoup et s'entraider.

La Domination et l'Archange

La Domination ne comprend pas toujours les agissements de l'Archange. Et l'Archange trouve que la Domination est comédienne dans sa manière d'agir. Toutefois, ces deux individus s'estiment et se respectent. Ils s'épauleront dans l'élaboration de leurs projets. Chacun apportera ses connaissances, ce qui aidera à la réussite des projets. Lorsque la Domination aura besoin d'aide, l'Archange viendra l'appuyer. La Domination appréciera grandement son geste et elle lui présentera des gens importants qui permettront à l'Archange d'ouvrir des portes pour l'élaboration de ses projets. Bref, ces deux individus s'aideront mutuellement.

Toutefois, si l'un des deux se permet d'être négatif, trouver un terrain d'entente deviendra difficile. Ils seront bornés, têtus et ils feront des erreurs de toutes sortes. Ils se bouderont et ils se tiendront tête. Cela leur nuira énormément. Ni l'un ni l'autre ne cherchera à régler le conflit. Donc, plus ils attendront, plus ils se feront du tort mutuellement. Si l'un décide de faire un pas dans la bonne direction, l'autre lui pardonnera et le suivra! Si les deux individus demeurent négatifs, ni l'un ni l'autre n'en sortira gagnant.

Au niveau de l'Arbre de vie, la Domination étant au niveau 6 et l'Archange au niveau 2, l'écart entre eux apportera des mésententes au sujet de leur vision de la vie et des actions à poser. Ils risquent de ne pas être sur la même longueur d'ondes. La Domination cherchera à contrôler l'Archange et l'Archange ne se laissera pas faire si facilement! Si la Domination calme ses états d'âme et qu'elle dicte poliment sa manière d'agir, elle parviendra à convaincre l'Archange et celui-ci agira en conséquence. Si l'Archange écoute sagement les conseils de la Domination, il développera de nouvelles idées qui connaîtront un énorme succès!

La Domination et l'Ange

La fougueuse Domination fera avancer l'Ange. Toutefois, il ne faudra pas que la Domination exagère. Sinon, elle risque de perdre l'Ange en cours de route. Ces deux individus possèdent un flair remarquable qui leur permet de deviner la pensée de l'autre. Ils se connaissent sans vraiment se connaître. Ils forment une équipe mystérieuse mais qui pourrait aller très loin, s'ils se font confiance. La Domination trouvera l'Ange très lent. L'Ange trouvera que la Domination va trop vite! Toutefois, si l'Ange se soumet à la Domination, cette dernière le protégera et le défendra. Personne ne pourra approcher l'Ange, tellement la Domination le protégera. Quiconque cherchera à s'approcher de l'Ange pour lui faire mal, trouvera la Domination sur son chemin. L'Ange se sentira protégé et il sera dévoué à la Domination. Malgré le fait que l'Ange trouve excentrique la Domination, il appréciera son dévouement envers lui. Toutefois, il ne faudra pas que la Domination exagère. L'Ange aura de la difficulté à accepter les mensonges de la Domination. Il ne faut pas oublier que l'Ange possède des antennes et il repère facilement les personnes non loyales. Il vaut mieux pour la Domination de ne pas trop jouer avec les émotions de l'Ange sinon ce dernier lui tournera le dos. Lorsque l'Ange perd confiance en une personne, il ne peut pas la lui redonner facilement. Ce sera pénible pour la Domination.

Ces deux individus ne doivent pas être dévastés par la négativité car ils n'auraient alors rien de bon à s'apporter, sauf des batailles de mots et des reproches. Cela aurait un impact dévastateur. La haine les envahirait et ils chercheraient à faire du tort à l'autre.

Au niveau de l'Arbre de vie, la Domination est au niveau 6 et l'Ange au niveau 1. L'Ange peut faire partie de la famille d'âmes de la Domination. Il est venu l'aider à mieux réussir son niveau. Toutefois, si l'Ange est une nouvelle âme ou si c'est une âme qui a chuté, la relation sera différente. La Domination aidera cet Ange à réussir son plan de vie. Elle lui apportera la sécurité dont l'Ange a besoin pour s'équilibrer.

La Puissance avec les autres Chœurs

La Puissance sera très dévouée à son entourage. Elle leur apportera soutien, aide et bons conseils pour les aider à bien réussir leur vie. Elle les aidera à planifier leurs projets et ensuite à les concrétiser. Elle aura toujours une bonne parole pour son entourage. Leur bonheur lui tient à cœur. C'est la raison pour laquelle elle sera toujours disponible si on lui réclame de l'aide. Elle aime dorloter ses proches et en prendre soin.

La Puissance sera un excellent compagnon de vie pour un **Trône**, une **Vertu** et une **Principauté**. Elle leur procura un foyer stable et heureux.

Elle vivra de belles aventures avec un **Trône,** une **Domination,** une **Vertu**, une **Principauté** et un **Ange**. Sur le plan sexuel, ce sera explosif avec le Trône, la Vertu et l'Ange! Toutefois, sur le plan amoureux, elle devra les satisfaire, les gâter et ne pas oublier leur anniversaire!

Sur le plan amical, cet être sera un ami extraordinaire pour la **Domination**, la **Principauté** et l'**Ange**. Il leur apportera tout le réconfort dont ils auront besoin pour continuer leur route et réussir leur plan de vie.

Sur le plan professionnel, il fera une équipe du tonnerre avec le **Séraphin,** le **Chérubin**, le **Trône** et la **Domination**. Ceux-ci seront en mesure de sécuriser la Puissance et ils lui permettront de mettre ses talents à l'œuvre! Cela aura un effet bénéfique sur l'ego de la Puissance.

Lorsque la Puissance sera malade, elle aimera l'attention et les bons soins prodigués par le **Séraphin**, le **Trône**, la **Domination**, la **Puissance** et la **Principauté**.

Elle aura de la difficulté à établir une relation avec une autre **Puissance** et une **Vertu** sous l'emprise de l'Ombre.

Au niveau de la famille d'âmes, la Puissance jouera souvent le rôle du **directeur d'âme**, du **noyau familial**, du **pilier,** du **facilitateur,** du **rassembleur** et de la **bouée de sauvetage**. Elle excelle dans tous ses rôles.

La Puissance et le Séraphin

(Voir aussi *Le Séraphin et la Puissance*)

La Puissance saura toujours prodiguer de bons soins au Séraphin et apaiser son tempérament fougueux.

La Puissance et le Chérubin

(Voir aussi *Le Chérubin et la Puissance*)

Ils se ressemblent beaucoup. La Puissance prendra toujours le temps d'écouter et de conseiller le Chérubin.

La Puissance et le Trône

(Voir aussi *Le Trône et la Puissance*)

Deux individus qui s'entraideront et qui se soigneront. Lorsque l'un sera malade, l'autre sera à son chevet. Lorsque l'un aura besoin d'aide, l'autre sera là pour lui. Ils ont beaucoup à s'apporter et à se donner. Tout comme ils ont beaucoup à apprendre l'un de l'autre!

La Puissance et la Domination

(Voir aussi *La Domination et la Puissance*)

La Puissance aidera beaucoup la Domination à s'accomplir dans plusieurs aspects de sa vie. Elle sera sa bouée de sauvetage!

La Puissance et la Puissance

Ces deux individus s'aideront mutuellement pour réaliser des projets et pour régler des problèmes. Ils trouveront toujours de bonnes solutions pour se libérer de leurs ennuis. Ils auront beaucoup de plaisir à faire du bénévolat, à créer des événements et à aider leur prochain. Toutefois, il ne faut pas que l'un soit négatif. Sinon, ils auront de la difficulté à se blairer. Il y aura toujours une Puissance qui se plaindra et l'autre l'écoutera. Les deux parleront de leur passé, mais ni l'un ni l'autre cherchera à s'en sortir. Leur conversation sera ennuyante et monotone. Ils répéteront souvent le même monologue. S'ils parviennent à trouver leur Lumière, ils passeront des heures à s'amuser et à rire ensemble.

Si les deux se laissent envahir par la négativité, ils se blesseront par des paroles injustes. Les Puissances ne peuvent pas vivre dans une énergie de lutte. Cela est trop épuisant pour elles. Donc, elles préféreront s'éloigner, ce qui leur sera bénéfique!

Au niveau de l'Arbre de vie, ces êtres sont tous les deux dans la même maison. Il y a de fortes chances qu'ils fassent partie de la même famille d'âmes. Ils sont venus s'aider mutuellement pour réussir leur plan de vie. La Puissance en Lumière apportera des bienfaits et de la fraîcheur à la Puissance négative.

La Puissance et la Vertu

Ces deux individus intelligents peuvent réaliser de grands projets ensemble. Ils s'épauleront mutuellement. Lorsque l'un sera perdu, l'autre l'aidera à se retrouver. Toutefois, lorsque la négativité les envahira, tous leurs projets qu'ils auront bâtis s'écrouleront. La Vertu sera attirée par l'intelligence de la Puissance. Toutefois, la Puissance reprochera le manque de tendresse de la Vertu. Elle trouvera que la Vertu est brusque dans ses gestes et ses paroles. Malgré tout, la Puissance saura bien apaiser les angoisses de la Vertu. Ces deux individus peuvent s'apporter beaucoup l'un à l'autre, en autant qu'ils laissent de côté leur vanité et leur critique impitoyable. Sinon, ils auront de la difficulté à demeurer dans la même pièce sans qu'une parole mesquine se lance! S'ils parviennent à cesser de se tenir tête, ils pourront devenir de bons amis.

Par contre, s'ils demeurent dans leur négativité, ces deux êtres se jalouseront et s'écraseront. Ils se défieront, ce qui pourrait occasionner des batailles de mots blessants. Ils pourraient facilement perdre le contrôle et causer tout un orage autour d'eux!

Au niveau de l'Arbre de vie, la Puissance étant au niveau 5 et la Vertu au niveau 4, il y a de fortes chances que ces deux personnes appartiennent à la même famille d'âmes. La Puissance apportera de bons conseils à la Vertu. Elle lui apportera également la sécurité financière. Elle le protégera et elle en prendra bien soin. La Vertu apportera de la vivacité dans la vie de la Puissance. Elle l'amènera à sortir de sa coquille.

La Puissance et la Principauté

La Puissance aidera la Principauté dans l'élaboration de ses tâches. Elle lui donnera tous les atouts nécessaires pour mettre à profit ses idées. La Puissance est très attachée à la Principauté. Elle est fière de lui apporter de l'aide. Toutefois, la Principauté trouvera parfois la Puissance trop dépendante. Quelques petits conflits peuvent en résulter. Par contre, la

Puissance ne voulant pas vexer la Principauté, elle changera temporairement son attitude. Elle lui laissera le temps de respirer un peu et ensuite, elle reviendra à la charge. La Principauté aura de la difficulté à se défaire de la Puissance. La Puissance aura de la difficulté à comprendre les agissements de la Principauté à son égard. Malgré tout, ces deux individus se complètent bien, et ce, sur plusieurs aspects de la vie. Ils peuvent facilement avoir de bons dialogues et régler leurs problèmes. La Principauté se sent la protectrice de la Puissance et la Puissance cherche à protéger la Principauté. Ils travaillent pour le bonheur de l'un et de l'autre!

Par contre, il ne faut pas que l'un soit envahi par la négativité, sinon, ce sera le fiasco dans leur vie. Ils auront de la difficulté à faire des concessions. Leurs paroles seront dévastatrices et ils se remettront difficilement de cette bataille.

S'ils demeurent dans leur négativité, ils batailleront jusqu'à ce que l'un tombe. Ils dépenseront beaucoup d'énergie pour parvenir à leurs fins et ils en sortiront tous les deux meurtris.

Au niveau de l'Arbre de vie, la Puissance étant au niveau 5 et la Principauté au niveau 3, elles sont légèrement éloignées l'une de l'autre. Elles n'ont pas les mêmes principes. La Puissance est vieux jeu et la Principauté est jeune de cœur. Il risque d'y avoir des petits conflits. Toutefois, leurs belles qualités les aideront. Elles peuvent essayer de décrocher la lune pour faire plaisir à leur entourage. Elles forment une belle équipe et elles ont beaucoup à apporter aux autres.

La Puissance et l'Archange

La Puissance saura apporter du réconfort à l'Archange. Sa douceur calmera les états d'âme de l'Archange. La Puissance aidera l'Archange à se prendre en main et à régler ses problèmes. L'Archange prendra soin d'écouter les conseils judicieux de la Puissance. Il sait que la Puissance cherche à l'aider à trouver un sens à sa vie. Toutefois, l'Archange déplorera la froideur de la Puissance. Il ne la trouvera pas assez chaleureuse envers lui. L'Archange a besoin de se sentir aimé, compris et accepté. Comme il est difficile pour la Puissance de montrer ses sentiments, il est évident que cela dérangera énormément l'Archange. Toutefois, si l'Archange prend conscience de tous les bienfaits que lui apporte la Puissance, il réalisera que les bons soins prodigués par la Puissance sont remplis d'amour et de respect. Il réalisera également que lors de périodes difficiles, la Puissance est la première à le réconforter. Cette attention particulière le touchera et il réalisera qu'il a besoin de la Puissance dans sa vie puisque celle-ci le sécurise et voit à son bonheur.

Toutefois, cela sera différent lorsque l'un ou l'autre sera envahi par la négativité. La moindre parole ou le moindre geste de l'un fera exploser l'autre. Ils chercheront à se contrôler mutuellement. Ils se lanceront des mots acerbes et ils se bouderont. Toutefois, lorsqu'ils retrouveront leur Lumière, ils se pardonneront et ils s'entraideront!

S'ils demeurent dans leur négativité, ces deux êtres se jalouseront, se confronteront et s'écraseront. Ils seront envahis par un sentiment de haine effroyable. Vaut mieux qu'ils s'éloignent jusqu'à ce que la tempête passe, si évidemment, elle passe!

Au niveau de l'Arbre de vie, la Puissance étant au niveau 5 et l'Archange au niveau 2, cet écart entre eux apportera de l'incompréhension vis-à-vis les décisions de l'un versus l'autre. Ils ne seront pas sur la même longueur d'onde. Si la Puissance cesse d'étouffer l'Archange, ils parviendront à trouver plusieurs terrains d'entente.

La Puissance et l'Ange

La Puissance aidera l'Ange dans l'accomplissement de ses désirs. Ils sont très attirés l'un vers l'autre. L'Ange fait rêver la Puissance et la Puissance apporte de la réalité dans la vie de l'Ange. La Puissance se fait le gardien de l'Ange. Sachant que l'Ange est vulnérable, elle le protège des personnes malveillantes. Il ne faudrait pas qu'il arrive quoi que ce soit à l'Ange, la Puissance ne se le pardonnerait pas! L'Ange se sent en sécurité dans les bras de la Puissance. L'Ange sait que tous les bons conseils de la Puissance ont pour but de l'aider à avancer et à réussir ses projets. L'Ange est conscient que la Puissance lui donne tous les atouts nécessaires pour qu'il puisse avancer et mettre à profit ses idées. La Puissance sera très fière de l'Ange. Elle sera épatée de son dévouement envers elle et les autres. Ils forment une belle équipe et ils peuvent aller loin avec leurs idées d'envergure qui pourraient prendre des proportions gigantesques. Il est évident que la tâche de contrôler reviendra à la Puissance. La tâche de créer et de faire fructifier les idées sera confiée à l'Ange. Ils savent ce qu'ils veulent et ils travailleront en équipe pour y parvenir. Ces deux individus se complètent bien, et ce, sur plusieurs aspects de la vie. Ils mettront à profit leur talent, leur expérience et leur savoir-faire. Le flair de l'Ange aidera énormément la Puissance à éviter les dangers.

Par contre, il ne faut pas que l'un soit envahi par la négativité, sinon, ce sera la dualité entre les deux. Ils auront de la difficulté à se comprendre mutuellement. Ils tiendront des propos diffamatoires l'un envers l'autre. S'ils demeurent dans leur négativité, ils dépenseront beaucoup d'énergie à se faire la guerre.

Au niveau de l'Arbre de vie, la Puissance est au niveau 5 et l'Ange au niveau 1. Peut-être sont-ils de la même famille d'âmes, mais il est certain que l'Ange est venu aider la Puissance à réussir son plan de vie et gravir un niveau de plus.

La Vertu avec les autres Chœurs

La généreuse Vertu apportera beaucoup de plaisir aux autres. Son dynamisme, sa vivacité et son humour plairont beaucoup. Elle sait ce qu'elle veut et elle ira le chercher. Elle sera toujours un exemple à suivre. Plusieurs se colleront à elle pour puiser l'essentiel de ses connaissances.

La Vertu sera un excellent compagnon de vie pour un **Trône**, une **Puissance**, une **Principauté** et un **Ange**.

Cet être vivra de belles aventures avec un **Séraphin**, un **Chérubin**, un **Trône**, une **Puissance**, une **Principauté** et un **Ange**. Sur le plan sexuel, ce sera explosif avec le Trône et l'Ange! Toutefois, sur le plan amoureux, il devra surmonter plusieurs épreuves avec le Séraphin qui exigera beaucoup de lui.

Sur le plan amical, il sera un ami extraordinaire pour le **Chérubin**, la **Domination**, la **Principauté** et l'**Ange**.

Sur le plan professionnel, il fera une équipe du tonnerre avec le **Chérubin**, le **Trône**, la **Domination**, la **Principauté**, l'**Archange** et l'**Ange**. Le Chérubin et la Principauté lui apporteront la sécurité financière. La Domination et le Trône éveilleront ses talents. L'Archange et l'Ange le motiveront et l'aideront dans la création de projets innovateurs.

Lorsque la Vertu sera malade, elle aimera l'attention et les bons soins prodigués par le **Séraphin**, la **Puissance** et la **Principauté**.

Elle aura de la difficulté à établir une relation avec un **Séraphin**, un **Chérubin**, une **Domination**, une **Puissance** et une **Vertu** sous l'emprise de l'Ombre. Ils auront des désaccords et des confrontations de toutes sortes.

Au niveau de la famille d'âmes, la Vertu jouera souvent le rôle du **pilier**, du **facilitateur** et de la **bouée de sauvetage.** Elle excelle dans tous ces rôles, surtout en tant que facilitateur!

La Vertu et le Séraphin

(Voir aussi *Le Séraphin et la Vertu*)

La Vertu donnera toujours de bons conseils au Séraphin et elle aura un impact favorable dans sa vie.

La Vertu et le Chérubin

(Voir aussi *Le Chérubin et la Vertu*)

La Vertu aidera toujours le Chérubin. Elle lui permettra de trouver les meilleurs moyens pour parvenir à ses fins.

La Vertu et le Trône

(Voir aussi *Le Trône et la Vertu*)

La Vertu saura bien conseiller le Trône pour que celui-ci puisse reprendre confiance en son potentiel et qu'il réussisse ses objectifs. Elle lui donnera les poussées dont il a besoin pour atteindre ses buts.

La Vertu et la Domination

(Voir aussi *La Domination et la Vertu*)

La Vertu saura guider la Domination pour lui éviter les erreurs de jugement. Toutefois, la Domination devra prendre le temps d'écouter la Vertu.

La Vertu et la Puissance

(Voir aussi *La Puissance et la Vertu*)

La Vertu aidera la Puissance à reprendre confiance en son potentiel. Elle sera sa boussole lorsque la Puissance ne saura plus où se diriger!

La Vertu et la Vertu

Ces deux intellectuels auront beaucoup à s'apporter mutuellement en autant que la négativité ne vienne par les envahir. Sinon, ils se détruiront complètement. L'un deviendra la victime et l'autre le bourreau. Ils auront de la difficulté à trouver un terrain d'entente. Ils chercheront à prouver à l'autre lequel est le meilleur. Ce qui sera un défi de taille pour ces deux intellectuels. Toutefois, lorsqu'ils sont dans une belle énergie, leurs idées sont créatrices et elles donneront naissance à de beaux projets.

Si la négativité les envahit tous les deux, ils auront de la difficulté à se comprendre et ils s'écraseront mutuellement. Ils tiendront des propos diffamatoires l'un envers l'autre. Leur loyauté sera mise à l'épreuve. Ils dépenseront beaucoup d'énergie dans leurs querelles et en sortiront tous les deux meurtris.

Au niveau de l'Arbre de vie, ils sont tous les deux dans la même maison, il y a donc de fortes chances qu'ils fassent partie de la même famille d'âmes. Ils sont venus s'aider mutuellement pour réussir leur plan de vie. Ensemble, ils découvriront de belles passions communes et ils pourront facilement réaliser de grands projets, s'ils mettent leur talent à l'œuvre! Toutefois, il ne faut pas que l'un soit envahi par la négativité, sinon, la relation deviendra insupportable, autant pour l'un que pour l'autre!

La Vertu et la Principauté

La Vertu saura donner de bons conseils à la Principauté. Elle l'aidera à se tailler une place de prestige dans la société. Elle lui présentera des gens importants. La Vertu se fera un plaisir de parler de la Principauté, elle louangera ses capacités. La Vertu stimulera l'essor dont a besoin la Principauté pour créer et réussir de grandes missions et de grands projets. De l'autre côté, les paroles réconfortantes de la Principauté agiront comme un baume sur le cœur de la Vertu. L'appréciation et le respect que lui témoignera la Principauté fera chaud au cœur de cette Vertu. Ces deux individus se dévoueront corps et âme pour se plaire mutuellement.

Toutefois, leur relation prendra une toute autre tournure si l'un ou les deux sont envahis par la négativité. La Vertu est têtue et la Principauté est boudeuse. Des paroles et des gestes toucheront à des sujets sensibles autant pour la Vertu que pour la Principauté. Ces deux individus s'épuisent dans une énergie de bataille. Ils préféreront s'éloigner l'un de l'autre, ce qui mettra fin à de beaux projets et à de belles réussites. Toutefois, ils peuvent toujours régler leurs différends et amorcer de nouveaux grands projets. Si les deux se laissent envahir par la négativité, leur duel les anéantira et leur causera des peines intérieures.

Au niveau de l'Arbre de vie, la Vertu étant au niveau 4 et la Principauté au niveau 3, on peut supposer qu'ils sont de la même famille d'âmes. La Vertu apportera de bonnes idées à la Principauté, tandis que la Principauté calmera les états d'âme de la Vertu. Ensemble, ils s'encourageront et ils parviendront à réussir leur plan de vie.

La Vertu et l'Archange

La Vertu soutiendra l'Archange. Elle lui apportera de l'aide, consciente que l'Archange est parfois vulnérable. Elle le mettra au courant des agissements de certaines personnes qui l'entourent. Ce ne sera pas toujours facile pour l'Archange d'admettre que la Vertu a raison, mais il sait pertinemment bien que la Vertu possède un flair redoutable. Elle sait reconnaître les gens et se fera un devoir d'avertir l'Archange. Si l'Archange prend le temps d'écouter les conseils judicieux de la Vertu, il évitera de graves erreurs. Mais l'Archange étant têtu, il se mettra souvent dans des situations problématiques dont seule la Vertu viendra le sauver.

Toutefois, il ne faut pas que l'un soit envahi par la négativité, sinon, ce sera le fiasco dans leur vie. Ils auront de la difficulté à faire des concessions et ils se tourneront le dos.

Au niveau de l'Arbre de vie, la Vertu étant au niveau 4 et l'Archange au niveau 2, ils sont légèrement éloignés l'un de l'autre. Ils ne voient pas la vie de la même manière. La Vertu est courageuse et elle avance. L'Archange est peureux et plutôt immobile. Toutefois, ils ont de belles qualités qui se complètent. Ensemble, ils peuvent connaître le succès. Ils forment une belle équipe et ils ont beaucoup à apporter aux autres. Toutefois, il ne faut pas que l'un soit envahi par la négativité, sinon aucune réalisation n'en résultera.

La Vertu et l'Ange

La Vertu et l'Ange se comprennent et se complètent bien. L'un travaillera et l'autre récoltera. L'un bâtira et l'autre réalisera. Ils savent ce qu'ils veulent et ils travailleront très fort pour l'obtenir. Ils ont la même passion pour le luxe et les belles choses. Ils se donneront au maximum pour réaliser leurs buts et leurs projets. La Vertu apportera son aide à l'Ange. La Vertu sera très fière de la ténacité et de la créativité de l'Ange. Cette fierté se reflétera dans leur relation et encouragera l'Ange à épater encore plus la Vertu et à écouter ses précieux conseils. Ces deux individus mettront à profit leur talent et leur expérience pour réussir dans la vie. Ils sauront choisir leurs alliés et s'éloigner du danger. Toutefois, la Vertu sera moins permissive que l'Ange. Avec son grand cœur, l'Ange serait porté à tout donner!

Par contre, le négativisme briserait cette entente et mettrait un terme à leur relation, ce qui ne serait pas avantageux ni pour l'un ni pour l'autre. Leur séparation serait douloureuse.

Au niveau de l'Arbre de vie, la Vertu est au niveau 4 et l'Ange au niveau 1. L'Ange peut faire partie de la famille d'âmes de la Vertu. Autant l'Ange aidera la Vertu à trouver le chemin de sa Lumière et à être heureux, autant la Vertu aidera l'Ange à mieux réussir son plan de vie et se sentir en sécurité si ce dernier est une nouvelle âme.

La Principauté avec les autres Chœurs

Cette courageuse et intelligente Principauté saura toujours dire le bon mot au bon moment. Elle aidera beaucoup sa famille et ses proches. Elle leur apportera du réconfort lors de période difficiles. Qu'importe l'heure, la journée ou la saison, cette Principauté sera là pour écouter, consoler et conseiller. Sa grande force de caractère et sa vivacité aideront tous ceux qui la côtoieront à se dépasser et à atteindre leur but avec succès! Le bien-être des siens lui tient à cœur.

La Principauté sera un excellent compagnon de vie pour un **Séraphin**, un **Trône**, une **Domination,** une **Puissance,** une **Vertu,** une **Principauté,** un **Archange** et un **Ange**.

Cet être vivra de belles aventures avec un **Séraphin,** un **Trône**, une **Domination**, une **Puissance**, une **Vertu**, une **Principauté,** un **Archange** et un **Ange**. Sur le plan sexuel, ce sera explosif avec le Séraphin, le Trône, la Domination, la Vertu et l'Ange! Toutefois, sur le plan amoureux, il devra surmonter plusieurs épreuves avec la Puissance et l'Archange.

Sur le plan amical, il sera un ami extraordinaire pour le **Séraphin**, le **Chérubin**, la **Puissance**, la **Vertu**, la **Principauté**, l'**Archange** et l'**Ange**. Il leur apportera tout le réconfort dont ils ont besoin pour continuer leur route et réussir leur plan de vie.

Sur le plan professionnel, il fera une équipe du tonnerre avec le **Chérubin**, le **Trône**, la **Domination**, la **Vertu**, la **Principauté**, l'**Archange** et l'**Ange**.

Lorsque la Principauté sera malade, elle aimera l'attention et les bons soins prodigués par le **Chérubin**, le **Trône**, la **Puissance** et la **Principauté**.

Elle aura de la difficulté à établir une relation avec un **Séraphin**, une **Puissance** et une **Vertu** sous l'emprise de l'Ombre. Ils auront des désaccords et des confrontations de toutes sortes.

Au niveau de la famille d'âmes, la Principauté jouera tous les rôles. Ceux qu'elle préfère sont le **rayon de soleil**, le **facilitateur** et le **pilier**. Néanmoins, elle fait également un excellent directeur.

La Principauté et le Séraphin

(Voir aussi *Le Séraphin et la Principauté*)

La Principauté sauvera souvent le Séraphin de périodes sombres. Elle a à cœur le bonheur du Séraphin.

La Principauté et le Chérubin

(Voir aussi *Le Chérubin et la Principauté*)

Les mots réconfortants de la Principauté aideront énormément la santé mentale du Chérubin. Elle lui permettra de se prendre en main et de réussir sa vie!

La Principauté et le Trône

(Voir aussi *Le Trône et la Principauté*)

Deux têtes fortes qui visent les mêmes buts! Leur courage et leur détermination pourraient les conduire à la réussite. Ils pourraient également atteindre le sommet grâce à leur force de caractère. Ils sont également deux créatifs. Leurs idées pourraient connaître de beaux succès.

La Principauté et la Domination

(Voir aussi *La Domination et la Principauté*)

La Principauté apportera souvent une aide précieuse à la Domination. Elle trouvera toujours des solutions aux problèmes.

La Principauté et la Puissance

(Voir aussi *La Puissance et la Principauté*)

La Principauté réconfortera énormément la Puissance. Elle lui rendra également souvent des services.

La Principauté et la Vertu

(Voir aussi *La Vertu et la Principauté*)

La Principauté apportera toujours de bonnes suggestions à la Vertu. Elle lui évitera des ennuis et lui permettra également de sauter sur de belles opportunités!

La Principauté et la Principauté

Ces deux êtres s'entendent bien. Ils sont de bonne volonté, ils savent ce qu'ils veulent et chacun respecte le choix de l'autre. Leur dialogue est profond et intéressant. Ils aiment la vie et ils travailleront mutuellement pour réussir tout ce qu'ils entreprendront ensemble. Ils se soutiendront et ils se respecteront. Ils forment une belle équipe dynamique et ils parlent le même langage. Leurs paroles encourageantes leur permettront de réussir tous les projets qu'ils entreprendront. Leur vibrante énergie leur permettra de surmonter toutes les épreuves qui se présenteront sur leur route. Ils sauront toujours appliquer de bonnes solutions. Ils ne resteront pas longtemps sur un problème!

Toutefois, si l'un des deux se laisse envahir par la négativité, il s'ensuivra des conséquences pénibles pour les deux. Ils deviendront méfiants l'un envers l'autre, ce qui provoquera des querelles épuisantes pour le moral.

Mais si les deux se laissent envahir par la négativité, ils s'attaqueront brutalement. Leur duel les anéantira et leur causera des peines intérieures pénibles! Parfois, seule la loi parviendra à régler leurs différends.

Au niveau de l'Arbre de vie, ils sont tous les deux dans la même maison, il y a donc de fortes chances qu'ils fassent partie de la même famille d'âmes. Ils sont venus s'aider mutuellement pour réussir leur plan de vie. Ensemble, ils découvriront de belles passions communes et ils pourront facilement réaliser de grands projets, s'ils mettent leur talent à l'œuvre!

La Principauté et l'Archange

La Principauté verra toujours au bien-être de l'Archange. Elle exige en retour le respect, la fidélité et l'honnêteté. Ils auront beaucoup de plaisir ensemble. Ils s'amuseront. Ils passeront des moments agréables et inoubliables. Lors de conversations plus sérieuses, chacun apportera son opinion sur le sujet concerné. Ces deux individus seront en mesure de bien réfléchir avant d'entreprendre leurs projets. Leur expertise leur permettra de réaliser de bons projets et d'en être très fiers! Lors d'épreuves, ils s'épauleront mutuellement avec tact, courage et détermination. Ils ont beaucoup d'endurance.

La négativité pourrait les amener à se déchirer mutuellement. Ils auront de la difficulté à trouver un terrain d'entente. Ils se bouderont et ils attendront que l'un ou l'autre fasse le premier pas.

Au niveau de l'Arbre de vie, la Principauté étant au niveau 3 et l'Archange au niveau 2, il y a de fortes chances qu'ils soient de la même famille d'âmes. La Principauté donnera de l'essor à l'Archange et l'Archange rehaussera l'estime de la Principauté.

La Principauté et l'Ange

La Principauté admire énormément l'intelligence de l'Ange. Ils se comprennent et ils s'aiment beaucoup. Ils ont tous les deux des goûts communs ainsi que la passion des voyages. Ils sont en quelque sorte leur miroir respectif. Ils voient leur image dans l'autre! Malgré le fait que la

Principauté exigera beaucoup de l'Ange, il n'en demeure pas moins que l'Ange respectera énormément la Principauté. Ceux deux individus se respectent et ils se font confiance. Ils sont conscients qu'ils peuvent s'apporter beaucoup mutuellement. Ils possèdent toutes les qualités essentielles pour amorcer des projets et les réussir. Leurs conversations seront enrichissantes et ils apprendront beaucoup l'un de l'autre. Ils s'épauleront dans l'élaboration de leurs projets.

Toutefois, ils ne doivent pas se laisser envahir par la négativité. Ils auraient alors de la difficulté à trouver un terrain d'entente. Ils en subiraient des pertes et des dommages.

Au niveau de l'Arbre de vie, la Principauté est au niveau 3 et l'Ange au niveau 1. On peut supposer qu'ils sont de la même famille d'âmes. L'attitude de l'Ange aidera la Principauté à trouver le chemin de la paix intérieure et son bonheur. Toutefois, si l'Ange est une nouvelle âme ou si elle a chuté, la relation sera différente. La Principauté aidera cet Ange à réussir son plan de vie. Elle lui apportera la sécurité dont l'Ange aura besoin pour s'équilibrer.

L'Archange avec les autres Chœurs

Ce vaillant chevalier fera des pieds et des mains pour protéger les siens des intempéries de la vie. Il écartera toute personne susceptible de venir déranger ses proches. Il possède un cœur d'or et il peut tout donner à sa famille. Il ne l'abandonnera jamais. Il sera toujours disponible pour apporter son soutien. Tous ses conseils seront judicieux et ils aideront tous ceux qui l'écouteront. Sa mission est de voir les siens heureux et il fera tout son possible pour qu'ils le soient!

Il sera un excellent compagnon de vie pour un **Chérubin**, un **Trône**, une **Domination,** une **Puissance,** une **Vertu,** une **Principauté** et un **Ange**. Il égayera leur vie par mille et une attentions!

Il vivra de belles aventures avec un **Chérubin,** un **Trône,** une **Domination**, une **Puissance**, une **Vertu**, une **Principauté,** un **Archange** et un **Ange**. Sur le plan sexuel, ce sera explosif avec le Trône, la Vertu, la Principauté et l'Ange! Toutefois, sur le plan amoureux, il devra surmonter plusieurs épreuves avec un Chérubin, un Trône et une Domination.

Sur le plan amical, il sera un ami extraordinaire pour le **Séraphin**, le **Chérubin**, la **Puissance**, la **Vertu**, la **Principauté**, l'**Archange** et l'**Ange**. Il leur apportera tout le réconfort dont ils ont besoin pour continuer leur route et réussir leur plan de vie. Son côté protecteur et sauveur sécurisera ses amis.

Sur le plan professionnel, il fera une équipe du tonnerre avec le **Chérubin**, le **Trône**, la **Domination**, la **Vertu**, la **Principauté**, l'**Archange** et l'**Ange**. Tous travailleront pour la même cause. Tous chercheront à réussir le mandat qu'ils s'étaient fixé.

Lorsque l'Archange sera malade, il aimera l'attention et les bons soins prodigués par le **Chérubin**, le **Trône**, la **Puissance** et la **Principauté**.

Il aura de la difficulté à établir une relation avec un **Séraphin**, un **Chérubin**, une **Puissance** et une **Vertu** sous l'emprise de l'Ombre. Ils auront des désaccords et des confrontations de toutes sortes.

Au niveau de la famille d'âmes, l'Archange jouera souvent le rôle du **noyau familial**, du **rassembleur** et du **messager**. Il est excellent dans le rôle de messager!

L'Archange et le Séraphin

(Voir aussi *Le Séraphin et l'Archange*)

L'Archange apportera souvent de bonnes solutions au Séraphin. Ce qui lui permettra de prendre de bonnes décisions et de régler ses problèmes.

L'Archange et le Chérubin

(Voir aussi *Le Chérubin et l'Archange*)

L'Archange sauvera les états d'âme du Chérubin. Ses mots le réconforteront.

L'Archange et le Trône

(Voir aussi *Le Trône et l'Archange*)

L'Archange aura du plaisir à faire rire le Trône. Il le défendra toujours lors de débats. Il prendra sa part.

L'Archange et la Domination

(Voir aussi *La Domination et l'Archange*)

L'Archange apportera souvent son soutien lorsque la Domination ne saura plus où se diriger. Il l'épaulera jusqu'à ce qu'elle se sente en sécurité.

L'Archange et la Puissance

(Voir aussi *La Puissance et l'Archange*)

L'Archange s'inquiétera souvent pour la Puissance. Il en prendra bien soin. Lorsque la Puissance passera un mauvais moment, l'Archange veillera à lui changer les idées.

L'Archange et la Vertu

(Voir aussi *La Vertu et l'Archange*)

L'Archange aidera la Vertu à trouver un sens à sa vie. Il sera souvent sa bouée de sauvetage et il arrivera toujours au bon moment. Il sera très apprécié de la Vertu.

L'Archange et la Principauté

(Voir aussi *La Principauté et l'Archange*)

L'Archange sera toujours là pour épauler et aider la Principauté lors de travaux difficiles. Il en sera de même pour la Principauté. Ils formeront une belle équipe.

L'Archange et l'Archange

Ces deux individus se comprennent bien et se devinent. Ils sont de bons complices. L'un cherche, l'autre trouve; l'un parle, l'autre écoute; l'un crée et l'autre bâtit. Ils ont la même passion pour les belles choses. Ils se donneront au maximum pour réaliser leurs buts et leurs projets. Ils sauront quel chemin prendre pour atteindre le sommet et ils le prendront main dans la main! Lors de difficultés, ils s'épauleront et ils s'encourageront. Ces deux individus connaîtront la recette gagnante pour mettre de l'action positive dans la vie de chacun. Ils mettront à profit leurs talents, leur expérience et leur savoir-faire. Ils frapperont toujours à la bonne porte et ils s'éloigneront du danger.

Par contre, il ne faut pas que l'un soit envahi par la négativité, sinon, ce sera la dualité entre les deux. Ils auront de la difficulté à s'entendre. Ils préféreront mettre un terme à leur relation. Ce ne sera pas avantageux ni pour l'un ni pour l'autre. Leur séparation sera douloureuse et ils auront de la difficulté à l'oublier.

Au niveau de l'Arbre de vie, ils sont tous les deux dans la même maison, il y a donc de fortes chances qu'ils fassent partie de la même famille d'âmes. Ils sont venus s'aider mutuellement pour réussir leur plan de vie. Ensemble, ils pourront facilement réaliser de grands projets, s'ils mettent leurs talents à l'œuvre! Toutefois, il ne faut pas que l'un soit envahi par la négativité, sinon, la relation deviendra insupportable autant pour l'un que pour l'autre!

L'Archange et l'Ange

Une équipe dynamique! Deux sauveurs qui cherchent à faire le bien sur terre. Ils œuvrent tous les deux pour la paix et l'amour. Toutefois, l'un agit et l'autre rêve! Lorsqu'ils décident de mettre leurs talents à l'oeuvre, ils peuvent tout défaire et recommencer à neuf sur des bases plus solides. Ils ont un courage d'acier lorsqu'il s'agit de sauver leur prochain. L'Archange éprouve beaucoup de tendresse pour l'Ange mais il a de la difficulté avec son côté bohème! L'Ange aime le potentiel et la beauté de l'Archange, il le louange constamment, ce qui a un effet dynamique chez l'Archange. Seul l'Ange sait comment parler à un Archange. L'Archange écoutera toujours les bons conseils de l'Ange. Il sait que cet Ange voit tout et sait tout! Il le prendra au sérieux. Ensemble, ils peuvent facilement réussir tout ce qu'ils entreprendront, ils en sont capables et ils possèdent tous les talents pour le faire! Ces deux individus s'aiment beaucoup et ils se respectent. Ils ont tous les deux des goûts communs ainsi que la passion des voyages.

Toutefois, si l'un des deux se laisse berner par la négativité, ils auront de la difficulté à trouver un terrain d'entente. Ils seront bornés et têtus. Ils se bouderont et ils se tiendront tête. Ni l'un ni l'autre ne cherchera à régler le conflit. Un simple geste de bonne volonté de la part d'un des deux individus pourra tout régler. Par contre, l'entêtement à rester négatif aura un impact dévastateur sur leur santé mentale et émotionnelle.

Au niveau de l'Arbre de vie, l'Archange est au niveau 2 et l'Ange au niveau 1. Il y a de fortes chances que l'Ange fasse partie de la famille d'âmes de l'Archange.

L'Ange avec les autres Chœurs

Ce grand cœur généreux aux mille et un projets saura plaire. Lorsqu'il donne son cœur, il fera tout son possible pour rendre l'autre heureux. Voir un sourire sur ses lèvres le met de bonne humeur. Il n'aime pas la chicane, donc, il trouvera toujours un bon mot à dire à ses proches pour y apporter de l'harmonie. Sa joie de vivre se reflète sur les autres et cela leur permet de passer une magnifique journée en sa compagnie. Cet Ange voit toujours au bien-être de sa famille. Il sera souvent la bouée de sauvetage de son monde. Il sera toujours là lorsque ceux-ci réclameront son aide.

L'Ange sera un excellent compagnon de vie pour un **Chérubin**, un **Trône**, une **Puissance**, une **Vertu** et une **Principauté**. Il égayera leur vie par sa tendresse et ses cadeaux!

Il vivra de belles aventures avec un **Séraphin**, un **Chérubin**, un **Trône**, une **Puissance**, une **Vertu**, une **Principauté** et un **Archange**. Sur le plan sexuel, ce sera explosif avec le Chérubin, le Trône et la Vertu! Toutefois, sur le plan amoureux, il devra surmonter plusieurs épreuves avec le Séraphin, la Puissance et l'Archange. Le Séraphin est trop orgueilleux et indépendant pour l'Ange. La Puissance est difficile à charmer et l'Archange est occupé ailleurs!

Sur le plan amical, il sera un ami extraordinaire pour le **Séraphin**, le **Chérubin**, la **Puissance**, la **Domination**, la **Vertu**, la **Principauté**, l'**Archange** et l'**Ange**. Il leur apportera le réconfort dont ils auront besoin pour continuer leur route et réussir leur plan de vie. Son humour fera rire ses amis et ceux-ci se plairont en sa compagnie.

Sur le plan professionnel, il fera une équipe du tonnerre avec le **Séraphin**, le **Chérubin**, le **Trône**, la **Domination**, la **Vertu**, la **Principauté**, l'**Archange** et l'**Ange**. Tous travailleront pour la même cause. Tous chercheront la réussite et le prestige. Ensemble, ils parviendront à l'obtenir!

Lorsque l'Ange sera malade, il aimera l'attention et les bons soins prodigués par le **Chérubin**, le **Trône**, la **Puissance** et la **Principauté**.

Il aura de la difficulté à établir une relation avec un **Séraphin**, une **Puissance** et une **Vertu** sous l'emprise de l'Ombre. Ils auront des désaccords et des confrontations de toutes sortes.

Au niveau de la famille d'âmes, l'Ange jouera le rôle du **noyau familial**, du **pilier**, du **facilitateur** et de la **bouée de sauvetage**! Il excellera en tant que bouée de sauvetage!

L'Ange et le Séraphin

(Voir aussi *Le Séraphin et l'Ange*)

L'Ange aidera le Séraphin à s'épanouir et à atteindre ses buts!

L'Ange et le Chérubin

(Voir aussi *Le Chérubin et l'Ange*)

L'Ange adore le Chérubin. Donc, il verra toujours à son bien-être. Tout ce qu'il peut faire pour le rendre heureux, il le fera!

L'Ange et le Trône

(Voir aussi *Le Trône et l'Ange*)

L'Ange saura réconforter le Trône. Il lui permettra de se prendre en main et de réussir sa vie.

L'Ange et la Domination

(Voir aussi *La Domination et l'Ange*)

L'Ange saura écouter la Domination et la conseiller. L'Ange apportera la confiance dont la Domination aura besoin.

L'Ange et la Puissance

(Voir aussi *La Puissance et l'Ange*)

L'Ange réconfortera énormément la Puissance. Il lui permettra de mettre fin à son passé et d'avancer vers un avenir équilibré et heureux!

L'Ange et la Vertu

(Voir aussi *La Vertu et l'Ange*)

L'Ange épaulera la Vertu dans plusieurs domaines. Il la sortira souvent de sa torpeur. Il sera le baume sur ses blessures!

L'Ange et la Principauté

(Voir aussi *La Principauté et l'Ange*)

L'Ange aidera la Principauté à réaliser ses rêves les plus fous! Celle-ci le suivra partout où il ira!

L'Ange et l'Archange

(Voir aussi *L'Archange et l'Ange*)

L'Ange aidera l'Archange à aller de l'avant avec ses projets. Il lui donnera des conseils judicieux.

L'Ange et l'Ange

Ils se comprennent, ils s'aiment et ils se respectent. Ils ont tous les deux des goûts communs. Ils pensent la même chose. Ils devinent leurs pensées. Ils sont leur miroir respectif. Ils voient leur image dans l'autre! Ces deux individus se respectent et ils se font confiance. Ils sont conscients qu'ils peuvent s'apporter beaucoup mutuellement. Ils possèdent les qualités essentielles pour amorcer des projets et les réussir. Leurs conversations seront enrichissantes et ils apprendront beaucoup l'un de l'autre. Ils s'épauleront dans l'élaboration de leurs projets. Chacun apportera ses connaissances ce qui aidera à la réussite de leur projet. Toutefois, ils ne peuvent pas être des amoureux. Ils auraient une vie difficile et compliquée! Néanmoins, ils sont les meilleurs amis du monde!

Si l'un des deux se perd dans la négativité, ce sera le déchirement. Ils seront hargneux et dépourvus d'émotions. Cela aura un impact dévastateur sur leur relation. Ils se heurteront souvent et ni l'un ni l'autre n'en sortira gagnant.

Au niveau de l'Arbre de vie, ils sont dans la même maison et ils cheminent ensemble. Il y a de fortes chances qu'ils soient de la même famille d'âmes. L'Ange Lumière aidera l'Ange négatif à retrouver sa Lumière.

CHAPITRE VI

Prières pour les familles d'âmes et les liens karmiques

Les Anges de la Lumière aiment voir les êtres humains heureux. C'est la raison pour laquelle ils mettent à leur disposition des outils qui les aident dans leur quête du bonheur. Le meilleur outil dont disposent les êtres humains afin d'obtenir de l'aide de la part du divin, c'est la prière. La prière est un pont qui unit l'univers des Anges à celui des êtres humains.

Nous verrons plus tard, dans la section portant sur les liens karmiques, que la prière est la meilleure façon de se libérer d'un lien karmique négatif. En effet, une fois que vous avez pris conscience que vous entretenez un lien karmique négatif avec quelqu'un, la prière devient votre meilleur outil pour chasser l'Ombre. D'une part, les Anges enverront sur votre route des situations ou des gens qui vous permettront d'identifier les liens karmiques négatifs, et d'autre part, ils vous montreront les solutions ou les étapes à suivre afin de vous délivrer d'une relation problématique.

Toutes les prières énumérées ci-après serviront à obtenir des informations au sujet de votre famille d'âmes et de vos liens karmiques. Plusieurs Anges ont le pouvoir de révéler certaines informations pertinentes, de sorte qu'elles puissent aider l'humain à mieux évoluer et à mieux cheminer dans la quiétude et le bonheur. Parmi les Anges énoncés, choisissez celui qui vous interpelle le plus. Vous pouvez même en choisir plus d'un, si vous le désirez! L'important est de se sentir en confiance avec la vibration de l'Ange. Ainsi, l'Ange que vous choisissez importe peu. Il s'agit plutôt de suivre votre intuition. S'il le faut, relisez le chapitre traitant des caractéristiques propres à chacun des Chœurs Angéliques. Pour ceux qui désirent plus d'informations sur la vibration de l'Ange en question, vous pouvez vous référer aux livres *La Bible des Anges* et *Les Anges au quotidien*.

De plus, lorsque vous offrez une prière aux Anges, il est important que vous ressentiez les mots que vous dites et que vos pensées soient alignées avec votre intention, avec la demande que vous placez. De cette façon, vous vous assurez que votre prière soit bien entendue et que les effets désirés vous soient apportés.

Prière pour connaître les membres de votre famille d'âmes

Cette prière s'adresse à tous ceux qui désirent connaître les membres de leur famille d'âmes. Si vous n'êtes pas certain qu'une ou plusieurs personnes fassent partie de votre famille d'âmes, vous pouvez le demander aux Anges qui se feront un plaisir de vous le préciser, si, évidemment, cela n'entrave pas votre plan de vie. Toutefois, soyez prévenu que si vous en faites la demande, les Anges vous les montreront. Tant et aussi longtemps que vous n'aurez pas compris qu'une telle personne fait partie de votre famille d'âmes, ils vous enverront des signes ou des situations.

En effet, les Anges possèdent des façons bien particulières de communiquer. Si vous leur demandez de vous montrer les personnes faisant partie de votre famille d'âmes, ils vont faire en sorte qu'une personne vienne souvent vous visiter ou demander de vos nouvelles. La personne sera davantage dans votre entourage. Vous serez appelé à communiquer avec elle plus souvent qu'à l'habitude. Vous vous retrouverez souvent aux mêmes endroits, dans les mêmes activités, etc. Une fois que vous aurez compris que cette personne fait partie de votre famille d'âmes, par la suite, la relation redeviendra normale. Si vous le désirez, notez-le dans la fiche complémentaire de cette personne à la fin du livre.

De plus, les Anges utiliseront beaucoup le ressenti. Pour vous faire comprendre qu'une personne fait partie de votre famille d'âmes, ils s'arrangeront pour que vous viviez des situations agréables en compagnie de cette personne. Vous ressentirez un fort besoin d'être en sa compagnie. Vos sentiments envers la personne seront les mêmes qu'auparavant, mais vous les ressentirez juste un peu plus fort et un peu plus longtemps pour que ça laisse une trace afin de vous amener à vous poser des questions à ce sujet. Une fois que vous aurez réalisé que cette personne fait bel et bien partie de votre famille d'âmes, vous serez toujours aussi heureuse, mais vous ne vous poserez plus aucune question quant à la nature de votre relation, de votre lien, de votre appartenance à la même famille d'âmes.

Aussi, n'oubliez pas que les Anges ne travaillent pas dans les mêmes sphères que nous et que leurs façons de faire peuvent s'échelonner sur plusieurs semaines, voire plusieurs mois. Parfois, il faut être patient lorsque l'on fait une demande aux Anges!

Voici les Anges qui peuvent répondre à votre prière au sujet de votre famille d'âmes : **Vehuiah** et **Achaiah** (Séraphins) ainsi que **Harahel** (Archanges).

Prière pour connaître les membres de votre famille d'âmes

« Cher Ange (dites le nom de l'Ange), je désire connaître les membres de ma famille d'âmes. Révélez-moi leurs noms afin que je puisse savoir qui chemine avec moi maintenant et pour longtemps encore. Guidez mes pas vers eux, apprenez-moi à mieux les connaître afin que nous puissions former une véritable équipe qui évolue spirituellement pour le bien-être de tous. Amen. »

Prière servant à protéger tous les membres de votre famille d'âmes

Cette prière s'adresse à tous ceux qui veulent envoyer des ondes positives aux membres de leur famille d'âmes ou terrestre ainsi que les protéger de l'Ombre. De plus, elle sert à solidifier le noyau familial afin que l'harmonie y règne toujours et que les belles rencontres viennent élever l'énergie vibratoire qui le compose. Elle sert également de protection contre des individus Ombre qui voudraient tenter de briser des liens ou de semer la pagaille au sein de la famille d'âmes.

Voici les Anges qui peuvent protéger votre famille d'âmes : **Cahetel** (Séraphins), **Hekamiah** et **Mebahel** (Chérubins), **Chavakhiah**, **Menadel** et **Rehaël** (Puissances), **Mihaël** (Vertus), **Imamiah** (Principautés) ainsi que **Harahel** (Archanges).

Prière servant à protéger tous les membres de votre famille d'âmes

« Cher Ange *(dites le nom de l'Ange)*, veuillez protéger tous les membres de ma famille d'âmes ainsi que tous ceux de ma famille terrestre. Veillez sur nous afin que l'Ombre ne vienne pas déranger notre quiétude. Entourez-nous de votre amour et de votre divine Lumière. Amen. »

Prière servant à mieux comprendre un lien karmique

Cette prière s'adresse à tous ceux qui désirent connaître la nature d'un lien karmique qu'ils entretiennent avec quelqu'un et déterminer si ce lien est bon ou mauvais pour eux. Si vous n'êtes pas rendu à l'étape de couper le lien, cette prière vous permettra d'analyser votre lien karmique et de faire les bons choix par la suite. Souvent, il s'avère difficile de savoir si un lien karmique est positif ou négatif puisqu'il existe plusieurs variantes qui peuvent faire changer la nature d'un lien d'une façon temporaire ou définitive. Parfois, il se peut qu'une personne de votre entourage ne soit pas dans de bonnes énergies, puisqu'elle est malade ou qu'elle vit du stress à la maison ou au travail. Cet état d'âme peut durer plusieurs jours, voire plusieurs semaines. Toutefois, il s'agit d'analyser le lien à la base. Il vous sera plus facile de déterminer la nature d'un lien en effectuant votre « Arbre personnel ». Par contre, si vous avez bâti votre arbre et que vous êtes toujours dans le doute au sujet d'une relation en particulier, cette prière saura vous guider vers la véritable réponse, celle qui s'ajustera à votre destin, à votre plan de vie.

Voici les Anges qui vous permettront de mieux comprendre un lien karmique : **Haaiah**, **Yerathel**, **Lecabel** et **Vasariah** (Dominations), **Yehuiah** et **Lehahiah** (Puissances), **Veuliah** et **Asaliah** (Vertus) ainsi que **Umabel** (Archanges).

Prière servant à mieux comprendre un lien karmique

« Cher Ange *(dites le nom de l'Ange)*, aidez-moi à trouver un sens à ce lien karmique avec lequel je vis présentement avec *(dites le nom de la personne)*. Éclairez-moi afin que je puisse connaître les raisons profondes qui m'attachent à cette personne. Montrez-moi, par des signes ou des situations, si je dois conserver cette relation ou m'en défaire pour de bon. *Amen.* »

––––––––– ❧ –––––––––

Prière pour demander à un Ange de défaire un lien karmique négatif

Cette prière s'adresse aux personnes qui désirent mettre fin à des liens karmiques négatifs, des liens karmiques qui nuisent à leur bien-être. Cette prière vous aidera donc à vous libérer de situations karmiques négatives ou à couper un lien karmique qui nuit à votre évolution terrestre, et ce, sans complications.

Voici les Anges qui peuvent vous aider à défaire un lien karmique : **Sitaël** (Séraphins), **Aladiah** et **Hahaiah** (Chérubins), **Haaiah** et **Yerathel** (Dominations), **Aniel** et **Ieiazel** (Puissances) ainsi que **Damabiah** (Anges).

Prière pour demander à un Ange de défaire un lien karmique négatif

« *Cher Ange (dites le nom de l'Ange), aidez-moi à comprendre l'essence de ce lien karmique qui m'unit à (dites le nom de la personne, la situation ou autre) afin que je puisse me libérer de son emprise négative. Délivrez-moi de ce lien qui nuit à mon bien-être afin que je puisse reprendre le contrôle de ma vie et de mes pensées positives. Amen.* »

Cette prière aura un effet bénéfique pour ceux qui ont des dépendances. Si vous fumez, récitez cette prière comme suit :

« *Cher Ange (dites le nom de l'Ange), aidez-moi à comprendre l'essence de ce lien karmique qui m'unit à (la cigarette) afin que je puisse me libérer de son emprise négative. Délivrez-moi de ce lien qui nuit à mon bien-être afin que je puisse reprendre le contrôle de ma vie et de mes pensées positives. Amen.* »

––––––––– ❧ –––––––––

Prière servant à réparer des erreurs karmiques ou à les éviter

Cette prière sert à vous délivrer de fardeaux karmiques. Grâce à cette prière, les Anges vous montreront les faiblesses de vos anciennes incarnations afin de liquider le contenu karmique que vous avez emmagasiné depuis plusieurs vies, tout ce qui entrave votre évolution. Cette prière vous permettra également de réparer vos erreurs karmiques et d'éviter d'en commettre éventuellement.

Voici les Anges qui peuvent vous aider dans votre prière : **Haamiah** (Puissances), **Nemamiah** et **Yeialel** (Archanges) ainsi que l'Ange **Rochel** (Anges).

Prière servant à réparer des erreurs karmiques ou à les éviter

« Cher *Ange (dites le nom de l'Ange),* montrez-moi mes faiblesses du passé afin que j'y mette un terme maintenant. Infusez-moi votre Lumière divine afin que je puisse me libérer des liens karmiques qui entravent mon évolution spirituelle. Délivrez-moi de ce qui me retient prisonnier afin que je puisse jouir d'une vie terrestre heureuse. Guidez mes pas vers le chemin du bonheur. Chuchotez-moi des conseils à l'oreille afin que je puisse me diriger vers des horizons nouveaux remplis de joie, de sérénité et d'amour. Amen. »

———— ⌇ ————

Pour obtenir plus d'informations au sujet des Anges ou de la façon de les prier pour des circonstances autres que celles décrites dans ce livre, consultez les deux premiers tomes, soit *La Bible des Anges* et *Les Anges au quotidien*. Ces deux autres livres représentent une mine d'informations concernant les Anges de la Lumière ainsi que les façons d'entrer en contact avec eux.

PARTIE II

LES LIENS KARMIQUES

CHAPITRE VII

Explication du terme
« liens karmiques »

Qu'est-ce qu'un lien karmique ?

Tout d'abord, il est important de savoir qu'il existe deux types de liens karmiques. Il y a les liens karmiques positifs (+). Les êtres qui entretiennent une telle relation s'aident mutuellement, se nourrissent d'une énergie favorable commune et cheminent ensemble afin de s'élever spirituellement. Les deux parties de cette relation sont gagnantes (+) (+).

Ensuite, il existe des liens karmiques négatifs (-). Les personnes qui interagissent ne sont pas sur la même longueur d'onde, ou, encore, se nourrissent mutuellement d'énergie négative. Dans le premier cas, la relation n'est pas équilibrée (+) (-). Une personne est positive (+) et l'autre plutôt négative (-). La personne négative tentera constamment de dévier l'attention de l'autre vers le mal, elle l'attirera vers l'Ombre, elle tentera de la faire descendre. Cette personne nourrit donc la négativité de l'autre âme. Pour une personne positive et en santé, entretenir une relation karmique avec une âme négative se traduit souvent par une diminution d'énergie ou un manque soudain de volonté. Dans le deuxième cas, les deux personnes sont négatives et ne font que nourrir la négativité de l'une et l'autre (-) (-).

En général, un lien karmique est un lien énergétique qui unit deux êtres humains. Toutefois, les possibilités sont multiples, car un être humain peut avoir des liens karmiques avec des Anges, des animaux, des chiffres, des endroits et même sur le plan des sens. Les liens karmiques peuvent donc être de nature humaine, angélique, animale, numérale, sensorielle ou territoriale. Ainsi, un lien karmique peut unir une personne à une autre personne, une personne à un Ange ou une personne à un animal. Un lien karmique peut également être un lien qui unit une personne à une date en particulier ou à des gestes qu'elle effectue continuellement. Il existe donc des liens tout autour de l'être humain qui influencent sa vie.

Cependant, vous n'avez pas nécessairement des liens karmiques avec tous ceux que vous connaissez. En effet, s'il est vrai qu'il existe des liens karmiques positifs (+) et des liens karmiques négatifs (-),il se peut aussi que vous n'ayez aucun lien karmique avec des êtres qui vous entourent.

Toutefois, vous possédez assurément des liens karmiques avec chacun des membres de votre famille d'âmes. La plupart du temps, ces liens karmiques sont positifs puisque ce sont des liens d'entraide.

Pourquoi les liens karmiques existent-ils?

Ces liens existent pour que l'humain ne se sente pas seul dans son cheminement sur terre. Ces liens apportent un équilibre dans la vie de l'être humain. Parfois, sans ces liens karmiques, l'être humain ne saurait plus où se diriger. Les liens karmiques nourrissent l'être humain qui, autrement, pourrait ressentir un vide. Voilà la raison pour laquelle ces liens karmiques existent. L'être humain a besoin de ces liens pour l'aider à avancer, pour l'aider à trouver un sens à sa vie. Il est important pour un individu de posséder des liens karmiques. Cela lui permet d'évoluer. Par contre, peu d'humains sont conscients des liens qui existent entre eux et ceux qui les entourent.

Comment reconnaître un lien karmique?

Il vous est possible de reconnaître la présence d'un lien karmique à travers l'intensité des sentiments. Que ce lien soit positif ou négatif, il sera souvent dirigé vers une personne en particulier ou une situation. Cela vous indique que vous possédez un lien karmique avec cette personne. D'autre part, vos sens peuvent également être des indicateurs de liens karmiques. Vous aimerez être en présence de la personne. Autant son allure que ses gestes ou même son odeur vous plairont. Par exemple, vous êtes-vous déjà senti tout simplement bien à côté d'une personne, sans raison apparente ? Vous êtes l'un à côté de l'autre, et vous vous sentez bien, autant mentalement que physiquement. Vous aimez tout de l'autre personne, sa façon d'être. Souvent, lorsque les odeurs corporelles s'agencent bien, un lien vous unit à cet individu. Par contre, si vous avez du mal à sentir une personne, qu'elle vous répugne, soit par ses gestes ou son odeur, c'est souvent le signal que vous n'avez pas de lien karmique avec cette personne. Vous aurez de la difficulté à rester à côté d'elle ; elle vous rendra impatient.

Vous pouvez aussi avoir un lien karmique négatif avec une personne. Dans ce cas, vous aimez la personne, mais vous vous sentez quelque peu obligé d'entretenir la relation. Vous prenez peut-être du bon temps en sa compagnie, mais lorsque votre entretien est terminé, vous n'avez plus d'énergie, vous vous sentez fatigué. Souvent, des problèmes de santé physique seront un indicateur de lien karmique négatif. Vous vous surprenez à ne pas répondre au téléphone lorsqu'elle vous appelle, et vous priorisez les activités auxquelles elle ne participe pas. Lorsque la relation devient un fardeau, vous pouvez être assuré qu'il s'agit d'un lien karmique négatif. Le lien est présent, mais il ne vous apporte rien de bon.

Sachez que les liens karmiques sont très forts. Parfois, il arrive qu'un être parvienne à couper un lien entre deux personnes. Dans ce cas, le lien qui unissait les deux personnes n'était pas solide. Il n'était pas karmique. Rien ne peut parvenir à briser un lien karmique, à l'exception de la personne qui entretient ce lien avec une autre. Même si une personne, sous l'emprise de l'Ombre, tente par tous les moyens de briser un lien qui unit deux personnes, elle n'y parviendra pas parce que le lien karmique n'existe qu'entre ces deux êtres. Eux seuls peuvent le couper ou y mettre fin, et ce, seulement si le lien a été accompli, s'il a atteint son objectif. Seules les personnes responsables d'un lien karmique peuvent s'en défaire. Si certains liens nourrissent vos forces, d'autres détruisent votre vie en nourrissant vos faiblesses. Ce sont ces liens que vous devez couper.

Quand et comment un lien karmique devient-il négatif ?

Un lien karmique devient négatif lorsqu'il ralentit ou même bloque l'évolution d'une personne. Ce lien dérange l'individu en l'empêchant de grandir sereinement et d'évoluer selon son plan de vie. Un lien karmique devient aussi négatif pour un individu lorsqu'il met en jeu sa santé physique ou mentale. À titre d'exemple, si un être humain exagère dans sa consommation d'alcool, et que l'alcool lui procure du plaisir, quel qu'il soit, il crée un lien avec le goût ou la sensation que peut lui procurer cette boisson. Ce lien est en train de le détruire et il faut le couper.

Certaines âmes, lorsque vous les côtoyez, nourrissent votre négativité. Un être qui est sous la gouverne de l'Ombre peut détruire une belle âme, peut réduire une de ses forces et ramener une faiblesse à la surface. Par exemple, si vous êtes un être de nature très confiante et que vous côtoyez un être qui dérange vos émotions à un point tel que votre sentiment de sécurité bascule et se transforme en un sentiment d'insécurité, votre force intérieure devient maintenant une faiblesse qui vous crée un sentiment négatif d'insécurité. L'échange avec un individu Ombre vous a déséquilibré.

Certains liens karmiques négatifs peuvent provoquer la descente aux enfers d'un être humain. Ces types de liens peuvent rendre malheureux, voire dépressif. Ils nuisent au bien-être. Par exemple, vous êtes une personne heureuse et vous aimez la vie, mais un lien vous unit à un proche qui vit beaucoup de difficultés. Ce proche n'arrive pas à aimer la vie et à savourer la vie. Tout au long de sa vie, il critique et se plaint. Il déblatère souvent sur tous les gens, sans toutefois regarder la négativité de sa propre vie. Le lien que vous entretenez avec ce proche détruit votre bien-être physique et mental. Il ne vous apporte que des ennuis et des problèmes. Vous cherchez à aider cette personne à retrouver sa joie de vivre, mais plus vous le faites, plus vous sombrez dans le négatif qu'il entretient. Sans vous en rendre compte, vous vous dirigez vers une dépression. Pourquoi conserver un lien karmique négatif si celui-ci ne vous apporte que des ennuis?

Un lien karmique peut aussi devenir négatif lorsqu'une personne tombe sous la proie de l'Ombre. L'Ombre envahit cette personne qui accepte de l'alimenter. Le lien que vous aviez avec cette personne, et qui était jadis positif, devient alors négatif. Au lieu d'être un lien productif, il deviendra un lien destructeur. Il vous empêchera de vous épanouir et il dérangera votre quiétude.

Comment reconnaître un lien karmique négatif?

Un lien négatif détruit quelqu'un intérieurement. La relation vous épuise mentalement et physiquement. Souvent, c'est votre santé physique qui se détériore. Lorsque vous êtes en présence d'une personne négative, elle vous cause des maux de tête et des problèmes de santé, ainsi que des problèmes financiers et émotionnels. Si votre comportement change en sa présence, le lien n'est pas positif. Celui-ci vous emprisonne et il nourrit votre négativité.

Quelle est la différence entre un lien positif et un lien négatif?

En général, vous tirez toujours de belles leçons d'un **lien karmique positif**. Ce lien fait grandir les deux personnes concernées. Il devient un lien karmique productif. Chacune travaille de son côté et accomplit son plan de vie. Lors d'une épreuve, elles s'épaulent et s'entraident. Celle qui vit l'épreuve sait qu'elle peut compter sur l'autre. Elle se sent écoutée, protégée et aidée. Elle lui sera d'un grand secours. Au contraire, un **lien karmique négatif** nuit à votre évolution spirituelle. Il peut vous détruire intérieurement, surtout sur le plan de la santé.

Comment savoir qu'un lien karmique qui nous unit à quelqu'un est terminé?

Les liens karmiques qui nous unissent à des personnes sont souvent amoureux ou amicaux. La façon la plus simple, mais en même temps difficile, de savoir qu'un lien karmique est terminé est par votre ressenti. Il faut écouter sa « petite voix intérieure », celle qui guide, mais qui passe souvent inaperçue puisque les émotions humaines deviennent parfois trop intenses.

Également, le mot « futur » ou tout ce qui concerne l'avenir ne sera pas présent au sein de la relation. C'est aussi un signe que la relation doit se terminer.

Dans la plupart des cas, s'il faut rompre un lien karmique, vous aurez la force nécessaire pour être en paix avec la décision. Lorsque vous y penserez, vous serez joyeux. Vous comprendrez véritablement la raison de la coupure avec l'autre personne et vous ressentirez un sentiment de légèreté.

Comment se défaire d'un lien karmique négatif?

Il faut d'abord prendre conscience de la nature négative d'un lien karmique. Il arrive souvent que des gens entretiennent des relations négatives sans même en être conscients. Beaucoup de liens karmiques négatifs se développent et se perpétuent sans qu'on s'en rende compte. Une fois que le lien karmique négatif a été identifié, il est conseillé de prendre du recul pour penser et réfléchir.

La **prière** est un outil qui aide l'être humain à connaître ces liens et à s'en défaire, s'il le faut. Communiquer avec les Anges permet aussi à l'être humain de se débarrasser de liens karmiques négatifs de la meilleure façon possible puisque, d'une part, les Anges enverront sur sa route des situations ou des gens qui lui permettront d'identifier les liens karmiques positifs ou négatifs et, d'autre part, ils lui feront voir les solutions ou les étapes à suivre afin de se délivrer d'une relation problématique. Vous pouvez prier les Anges afin qu'ils vous aident à voir clair dans vos relations.

Ensuite, il faut **lâcher prise**, puis évaluer les ressources qui se trouvent à votre disposition. Parfois, la solution se trouve à l'intérieur de vous, à travers vos habitudes de vie, à travers vos rêves et vos ambitions. Analysez vos buts et vos objectifs de vie. Faites cette analyse dans le but de déterminer ce qui vous apporte du positif et ce qui nuit à l'atteinte de vos objectifs. Faites votre « Arbre personnel » afin d'identifier les types d'âmes qui font partie de votre vie et les raisons pour lesquelles vous entretenez des relations avec elles. Vous verrez plus clairement la trame de vos liens karmiques et vous serez plus en mesure de mettre un terme à ce qui entrave votre évolution spirituelle et de vous défaire des liens karmiques négatifs. Couper un lien karmique ne sera jamais facile, mais gardez en tête que c'est pour votre bien-être que vous le faites.

Comment renforcer un lien karmique positif?

Si un lien karmique est positif, automatiquement il deviendra plus fort avec le temps. Toutefois, pour accélérer son ancrage positif, il suffit d'entretenir constamment des pensées positives à l'égard d'une personne ou d'une situation, ou de répéter un geste, une action qui vous apporte du bien.

Renforcer un lien karmique se fait aussi par l'entraide entre deux êtres liés par un plan de vie, par un karma. Ils renforcent leur lien karmique en s'entraidant. Un lien karmique positif renforce à son tour l'être humain, l'aidant à cheminer et à progresser dans sa vie. Vous retrouverez des liens karmiques au sein de vos familles, avec vos frères, vos sœurs, vos parents, mais aussi avec vos amis.

Renforcer un lien karmique positif exige de lui accorder du temps et de l'énergie afin de le faire fructifier. Les liens karmiques positifs nourrissent les forces ; ils vous permettent de grandir. Ces liens illuminent votre vie et rayonnent dans la vie de l'un comme dans l'autre. Certaines personnes viennent pour évoluer avec vous. On ne peut se séparer de celles qui sont là depuis plusieurs siècles. **Un lien karmique est plus puissant qu'un lien de sang.** Si un lien est à la fois karmique et de sang (par exemple, avec votre mère ou votre sœur), il est encore plus fort car vous pouvez le faire évoluer plus rapidement, en raison d'une proximité physique et d'échanges réguliers.

Un lien karmique est comparable à un cordon ombilical qui unit l'enfant à naître avec sa mère. Ce lien permet à deux personnes de profiter du bien-être d'une relation saine, à l'image de ce que doit être un lien karmique positif. Ce lien d'amour que possède une mère envers son enfant se renforcera avec le temps par des paroles, par des gestes. Il se solidifiera. Généralement, lorsqu'un lien est solide, lorsqu'il est fort, il aidera l'être humain à évoluer, à être heureux. Il lui donnera des forces pour avancer dans la vie.

Les liens karmiques sont à l'image de ce que l'on retrouve dans la nature. Considérez, par exemple, un arbre avec ses racines et ses multiples branches. Les différentes parties de l'arbre se nourrissent mutuellement. Toutes les parties de l'arbre travaillent de concert afin d'apporter tous les nutriments nécessaires à la survie.

Il est également possible de comparer les liens karmiques à une plante, à une fleur, à du gazon ainsi qu'à tous les éléments qui s'assurent du bon fonctionnement de la planète Terre : l'air, l'eau, la terre, le feu, même notre système solaire et les planètes, la Lune, le Soleil. Tous ont leur rôle à jouer pour constituer un ensemble en équilibre, soudé par des liens.

CHAPITRE VIII

Types de liens karmiques

Les liens sont partout. Il y a autant de liens karmiques qui existent que d'étoiles dans le ciel, pourrions-nous dire de façon imagée. Certains sont primaires, d'autres secondaires, dépendamment de la personne et de son plan terrestre. Nous verrons ici ceux qui nous semblent les plus importants et qui se rencontrent le plus souvent. Nous avons donc regroupé les liens karmiques sous six différentes catégories : **les liens karmiques de nature humaine, angélique, animale, numérale, sensorielle ou territoriale.**

D'une part, il y a les liens karmiques qui impliquent un autre être (humain, Angélique ou animal). D'autre part, il y a les liens karmiques qui se créent avec des objets, des choses. Dans le domaine des liens karmiques, les relations humaines sont prédominantes, mais les autres sont aussi importants. Ils sont juste moins apparents, plutôt effacés. Ce sont des liens karmiques plus subtils. Des liens auxquels on pense moins souvent ou dont on ignore l'existence.

Tout au long de la description des divers types de liens karmiques, plusieurs exemples viendront mettre en lumière les propos énoncés. Ces exemples vous aideront à mieux comprendre les liens karmiques.

Relations humaines

Les liens karmiques sur le plan des relations humaines peuvent être de nature familiale, amicale, affective ou professionnelle. Les relations humaines englobent les sentiments que l'on éprouve à l'égard de quelqu'un. Ce sont des liens d'appartenance qui nous indiquent le type de relation que l'on entretient avec une personne.

Familial

Les liens karmiques familiaux concernent les relations que vous avez avec les membres de votre famille d'âmes ou de votre famille terrestre. Ces liens sont souvent indestructibles s'ils sont positifs et très puissants. Quand un être humain a un lien karmique familial positif avec un frère, avec une sœur, avec une tante, un oncle ou avec ses parents ou grands-parents, il s'identifie à ces liens qui deviennent ses repères. Ces liens forment la base de son être. Lorsque les membres d'une famille d'âmes se rassemblent, ils alimentent les liens qui les unissent d'une façon positive, et cela leur apporte un bien-être incommensurable.

Amical

Les liens karmiques amicaux sont les liens que vous entretenez avec des gens qui ne font pas partie de votre famille terrestre. Certains liens amicaux peuvent être temporaires, alors que d'autres durent depuis très longtemps, voire depuis des vies antérieures. Souvent, vos amis proches font partie de votre famille d'âmes.

Un lien karmique amical apporte à chacun une force qui provient de l'autre. Chacun possède des forces qu'il utilise afin de venir en aide à l'autre. On retrouve souvent des forces complémentaires dans les liens amicaux. En effet, chaque être a un talent et chacun de ces talents aide l'autre dans son évolution. L'entraide fait souvent partie d'un lien karmique amical. Lorsque l'un des deux a besoin d'aide, l'autre viendra à son secours. Si l'un des deux se blesse, l'autre l'aidera à guérir, à soulager sa douleur. Vous avez besoin de l'un et de l'autre. Et même si vous ne vous voyez pas pendant un certain temps, ce lien vous unit toujours. Vous prenez des nouvelles de l'autre pour vous assurer que tout va bien.

En amitié, lorsque vous avez des conversations, vous vous nourrissez par vos connaissances. Vous dialoguez. Vous riez. Vous pleurez. Vous prenez le temps d'être ensemble et d'échanger des propos sur vos vies respectives. Toutes ces petites attentions font que vous appréciez le temps passé avec l'autre.

Affectif

Les liens karmiques affectifs englobent les relations amoureuses. Ces relations sont basées sur les sentiments que l'on ressent au contact ou à la vue de l'autre personne. Ces liens karmiques affectifs nous amènent à passer à travers toute une gamme d'émotions, parfois bonnes, parfois mauvaises. Ces relations servent également à façonner notre être. On s'identifie à l'autre personne, tout comme l'autre s'identifie à nous. Ce lien nous permet de former un tout.

Professionnel

Les liens karmiques professionnels regroupent les autres relations que vous entretenez et qui ne sont pas reliées à votre famille terrestre, à vos amis ou à votre partenaire amoureux. Il peut s'agir de relations avec des collègues de travail ou avec votre postier, votre coiffeur ou votre dentiste. Les liens karmiques professionnels sont davantage basés sur le respect de l'autre, car, généralement, vous n'entretenez pas une relation profonde avec ces personnes.

Autres exemples de liens karmiques dans le domaine des relations humaines

Lien entre des jumeaux

Le lien karmique entre deux jumeaux est très fort. Bien qu'ils soient deux êtres à part entière, les jumeaux donnent souvent l'impression de ne faire qu'une seule personne. C'est un lien important puisque les deux âmes ont décidé de venir par l'entremise du même corps humain. Souvent, le lien karmique qui unit deux jumeaux est très ancien ; il s'est construit dans des vies antérieures. Lorsque deux âmes sont très proches l'une de l'autre, elles ne veulent pas s'abandonner. Le lien qui avait uni auparavant ces deux personnes était tellement fort qu'elles ont choisi de se réincarner en même temps, ensemble. Elles veulent également s'entraider à mieux accomplir leur plan de vie. L'une possède des forces que l'autre n'a pas et vice-versa. Lorsque l'une d'elles est animée par l'Ombre, l'autre la ramène vers la Lumière! Telles sont les forces qui les unissent!

L'âme qui a porté ces deux enfants possède également un fort lien avec eux puisqu'elle leur a donné la chance d'être encore ensemble. Elle a accepté leur demande d'être unis une fois de plus.

Lien karmique et adoption

Les liens karmiques qui concernent l'adoption sont particuliers. Ils dénotent la force d'un lien karmique. En effet, on peut se rendre au bout du monde pour retrouver un être avec qui on partage un lien karmique. Souvent, les personnes qui adoptent vont chercher un membre de leur famille d'âmes. Pour reconnaître qu'il s'agit d'un membre de votre famille d'âmes, il suffit de regarder vos Chœurs Angéliques respectifs. Souvent, un des parents est dans le même Chœur Angélique que l'enfant adopté.

Liens temporaires à but précis

Une relation temporaire

Un homme et une femme décident d'unir leurs destinées et de vivre des jours heureux ensemble. Ils vivent un lien karmique positif, mais, un jour, l'un des deux décide de mettre fin à ce lien en quittant la relation. Cette séparation a brisé le lien qui unissait les deux personnes. Ce lien karmique était d'une durée temporaire. Si la séparation a eu lieu, c'est la relation n'était plus positive. Les deux personnes ne se nourrissaient plus mutuellement, ils ne progressaient plus ensemble. Ce lien n'a plus sa raison d'être. C'est pourquoi il s'est brisé.

Faire un voyage

Vous rencontrez quelqu'un lors d'un voyage. Vous vous plaisez beaucoup mutuellement. Vous passez du bon temps ensemble et vous visitez de beaux endroits. Vous avez des échanges passionnants sur tous les sujets. Puis, la fin du voyage approche, et vous ne voulez pas vous quitter. Vous échangez vos coordonnées afin de rester en lien. Toutefois, ce qui vous unissait n'existe plus. Même si vous essayez de retrouver ce qui vous retenait ensemble, vous n'y parvenez pas. Cela vous indique que le lien qui vous unissait était d'une durée temporaire. Il a existé que pour la durée du voyage, pour vous apporter des connaissances, de la sécurité ou pour terminer un lien qui avait déjà existé dans d'autres vies.

Faire un trajet ensemble

La même situation se retrouve lors de déplacements. Imaginez, à titre d'exemple, une jeune fille qui doit faire son premier long trajet d'autobus seule pour la première fois de sa vie. Elle est très nerveuse à l'idée de ce qui l'attend. Une belle dame toute délicate s'assoit près d'elle. Pendant tout le trajet, la dame s'assure que la petite fille va bien et elle lui parle pour la rassurer. Le temps file; la première chose que la petite fille remarque, c'est qu'elle est arrivée à destination. Elle descend de l'autobus pour aller rejoindre son père et récupérer son sac. Lorsqu'elle se retourne afin de remercier la dame, cette dernière n'est déjà plus là. Cette dame a été dans la vie de la jeune fille que pour deux heures, pour lui permettre de se sentir en sécurité. Le lien karmique qui a uni ces deux personnes était d'une courte durée, mais il a été de nature positive et a permis à la jeune fille d'en garder un bon souvenir.

Liens angéliques

Nous regroupons sous cette appellation les liens que vous avez avec le monde divin, soit votre Ange personnel, votre Ange de la Lumière, votre guide, les Anges, voire même vos défunts. Vous avez tous un lien karmique avec vos guides et votre Ange personnel. Comment pourriez-vous nourrir votre spiritualité si vous n'aviez pas ces liens? Les Anges vous aident à comprendre vos forces, vos origines et l'amour que vous possédez pour votre prochain. Ils sont à l'intérieur de vous. Le lien qui vous unit à eux l'amour dans sa forme la plus lumineuse. Votre Ange personnel vous aime beaucoup. Il vous adore. Le lien karmique qui vous unit se révèle dans les forces que possède votre Ange. En effet, si votre Ange préconise la propreté, vous aussi serez porté à agir comme lui et à tout nettoyer et ranger.

De plus, si vous priez un Ange régulièrement, autre que votre Ange de naissance et ne faisant pas partie de votre Chœur Angélique, il y a de fortes chances que vous ayez un lien karmique avec cet Ange. Ce lien, vous l'avez créé lors de vos dernières incarnations. Cet Ange vous a probablement souvent soutenu. Il se peut également que vous ayez eu cet Ange plusieurs fois comme Ange de naissance et qu'ensemble vous ayez bien travaillé. Il est donc normal que vous vous sentiez plus près de lui que de votre propre Ange de naissance.

À titre d'exemple, si votre Ange personnel est l'Ange Nithaël dans le Chœur des Principautés et que vous êtes à la recherche de votre flamme jumelle, d'un amour équilibré dont vous rêvez depuis longtemps, il est possible vous ne vous sentiez pas confortable de le demander à votre Ange de naissance puisque qu'il ne possède pas les caractéristiques correspondant aux critères de votre demande. Vous préférerez prier les Anges de l'amour, sachant qu'ils seront en mesure de bien répondre à votre demande. Vous vous tournez donc vers les Anges Jeliel, Lelahel et Haamiah. Ces trois Anges vous font vibrer et vous les priez souvent. Il est évident qu'un lien karmique vous unit à ces Anges. Ce lien se concrétisera par la rencontre de votre partenaire idéal. Lorsque vous l'aurez trouvé, il y a de fortes chances que vous cesserez de prier ces Anges, puisqu'ils auront accompli le lien qui vous unissait.

Plusieurs personnes possèdent des liens karmiques avec leurs défunts. Souvent, il en est ainsi parce que la personne encore vivante n'a pas accepté le départ de l'autre. Dans de tels cas, les liens karmiques ne sont pas très favorables puisqu'ils stagnent l'évolution de l'individu.

Animaux

Les animaux possèdent une force énergétique différente qui évolue tout de même d'une incarnation à une autre. Les liens karmiques qui vous unissent à vos animaux sont, la plupart du temps, de nature positive. Pour certaines personnes, ces liens sont aussi importants, sinon plus, que les relations qu'elles entretiennent avec des gens de leur entourage. Si la nature de ce lien est positive, il y a de fortes chances que votre animal de compagnie ressente ce que vous vivez. Quand un être humain ne va pas bien ou qu'il est malade, son animal le ressent, et parfois il devient malade lui aussi.

Les liens karmiques avec vos animaux de compagnie sont basés sur l'expression du mot « amour ». Ils représentent l'amour inconditionnel entre l'animal et son maître. Combien de fois flattez-vous votre chien pour lui montrer que vous l'aimez? Vous vous occupez de lui, tout comme on s'occupe d'un petit enfant. Il vous démontre son enthousiasme par des gestes d'affection ou de joie. Lorsque vous arrivez du travail, il vous accueille. Il manifeste sa joie de vous voir. Ce lien illumine votre vie, et, en même temps, vous illuminez la sienne.

Chiffres

Un lien karmique numéral est un lien en rapport avec un chiffre. Il peut s'agir d'une date de fête, de mort, ou un chiffre en particulier. Ces liens karmiques ne sont généralement pas de nature négative. Toutefois, il ne faut pas que les chiffres deviennent une source de stress, une dépendance ou même une folie.

Souvent, vous avez un lien karmique numéral sans même le savoir. Pour qu'un lien devienne karmique, il faut qu'il y ait répétition. Donc les liens karmiques numéraux surviennent lorsque plusieurs événements de votre vie sont reliés à une même date, à un même chiffre. On parle alors de « dates karmiques ».

À titre d'exemple, supposons que votre partenaire soit né le 15 juin et qu'il décède tragiquement. Après quelques années, vous faites la rencontre d'une autre personne ayant la même date de naissance que votre ancien partenaire de vie, soit le 15 juin. Vous avez un plan de vie relié à cette date.

Autre exemple, un proche défunt dont la date ou l'heure de son décès est représentée par le chiffre 11. Ironiquement, lorsque vous le priez et que vous pensez à lui, les aiguilles de votre montre indiquent 1 h 11. Ceci représente un symbole : votre défunt vous fait signe. Il s'agit d'un chiffre karmique. Par ce chiffre, il garde un lien avec vous.

Parfois, des gens décèdent à la même date, mais pas dans la même année. Vous pouvez avoir un parent qui meurt un 10 décembre et, 10 ans plus tard, votre autre parent quitte la même journée.

Lors d'une conférence, une dame me racontait qu'elle avait quatre enfants. Deux sont nés à la même date, soit le 12 décembre, et les deux autres à la même date également, soit le 24 février. Il est évident qu'il s'agit de familles d'âmes puisqu'elles sont proches dans l'Arbre de vie. Le 24 février est au niveau 1 et le 12 décembre au niveau 3.

Toujours lors d'une conférence, une dame me racontait qu'elle a appris sa grossesse lors de la date de fête d'un défunt. Ce symbole signifie que ce défunt lui fait cadeau de cet enfant qu'elle attendait si patiemment. Une autre dame me racontait qu'à la date du décès de son père, elle vivait toujours des situations positives et agréables. Cela concerne également un cadeau de la part de son père. Leurs défunts ont choisi une date karmique pour les gâter!

Voici un autre exemple pour illustrer la notion de « date karmique ». Ma grand-mère paternelle est décédée la journée d'anniversaire de ma mère, soit le 15 septembre. Lorsque j'étais jeune, ma grand-mère venait toujours réveillonner avec nous. Elle amenait sa petite valise. Elle arrivait la veille de Noël et elle restait jusqu'au lendemain du jour de l'An. On jouait aux cartes, on passait de belles soirées en sa compagnie.

Lorsque mes parents se sont séparés, ma mère a continué la tradition jusqu'au jour où elle a dû quitter le domicile familial pour s'établir dans un petit appartement. Il est évident qu'elle ne pouvait plus recevoir ma grand-mère comme jadis. Sachant qu'elle aimait bien venir à la maison, je suis certaine que ce fut pénible pour ma grand-mère. J'ai donc compris que, à son décès (à la date d'anniversaire de maman), ma grand-mère ne voulait pas qu'on l'oublie. Elle voulait également qu'on ne soit pas nostalgiques par rapport à son départ. Elle savait qu'on fêterait notre maman et qu'on s'amuserait. Ma grand-maman a bien réussi sa date karmique. Le 15 septembre de chaque année, lors de l'anniversaire de ma mère, nous pensons à elle et nous lui envoyons toujours un baiser et une belle pensée. Elle est avec nous tout au long de cette journée. Cette date est symbolique pour nous, elle est devenue une date karmique.

Je suis certaine que nous ne sommes pas les seuls à avoir perdu un être cher le jour d'anniversaire d'un proche. Cette situation est karmique et symbolique. Votre être cher tient à vous voir heureux et il ne veut pas que vous l'oubliiez! Il sait qu'au cours de cette journée, vous vous amuserez et c'est exactement ce qu'il veut que vous fassiez. Il aime mieux vous voir sourire que pleurer. Donc, réjouissez-vous et dites-lui merci d'avoir choisi cette date en particulier. De plus, votre défunt viendra fêter avec vous lors de cette journée.

Tous ces exemples illustrent une date karmique. Vous avez choisi une date particulière avant votre incarnation. Cette date est importante pour vous, elle est symbolique. C'est pourquoi elle vous suit lors de votre présente incarnation.

Sens

Les liens karmiques sensoriels sont ceux qui vous unissent à quelque chose qui vous procure un plaisir au niveau des cinq sens. La plupart du temps, ces liens sont de nature négative puisqu'ils amènent une personne à consommer une substance pour ressentir du plaisir. Plus elle en consomme, plus elle veut poursuivre la consommation. On n'a qu'à penser à l'alcool, à la cigarette, à la malbouffe, au jeu ou aux achats compulsifs.

Dans de rares cas, il se peut que ces liens soient de nature positive, mais ils deviennent facilement négatifs lorsque vous ressentez continuellement le besoin de consommer pour assouvir un plaisir quelconque.

Endroits (Lieux)

Les liens karmiques territoriaux représentent des liens que vous avez avec des endroits où vous avez vécu pendant un certain laps de temps. Il peut s'agir d'une ville, d'une maison, d'un chalet. Il peut même s'agir d'endroits où vous avez vécu au cours de vos vies précédentes. Lorsqu'elles visitent un pays qu'elles n'ont jamais visité avant, certaines personnes ressentent une forte appartenance, elles se sentent chez elles!

Par exemple, vous avez sans doute vécu plusieurs vies dans un pays autre que celui où vous vivez actuellement. Vous avez peut-être connu un grand amour dans ce pays, peut-être la gloire ou la richesse. Toutes ces situations vous amènent à conserver un lien avec cet endroit précis. Pour certaines personnes, ce lien sera tellement fort qu'elles chercheront à vouloir s'y établir à nouveau, même si cela ne fait pas partie de leur plan de vie. Ces êtres chercheront à retourner à cet endroit parce que l'endroit où ils habitent actuellement ne les nourrit pas autant. Ils veulent retourner à l'endroit qui a bercé plusieurs de leurs vies. C'est la raison pour laquelle plusieurs êtres humains ne se sentent pas à leur place. Ils n'ont aucun sentiment d'appartenance avec l'endroit où ils vivent.

Toutefois, si votre plan de vie actuel n'est pas lié à cet endroit, vous n'y trouverez pas ce que vous cherchez. Une fois arrivé à destination, vous vous sentirez bien, mais il y aura toujours un manque parce que votre destinée n'est plus liée à cet endroit. Il faut alors penser à détruire ce lien.

CHAPITRE IX

Formation des liens karmiques

Il existe mille et une raisons pour lesquelles un lien karmique se crée. Un lien karmique se forme pour aider les gens à mieux accomplir leur plan de vie, pour faire évoluer leur âme ou pour venir en aide à un membre de leur famille d'âmes.

La façon dont se forment les liens karmiques, ou l'apparition d'un lien karmique, peut varier d'une incarnation à l'autre. Souvent, un lien devient karmique par la répétition d'une même action, d'une même façon de faire, d'une façon de s'instruire, etc. Par exemple, au cours d'une incarnation, vous avez aimé un enseignement, une doctrine, une religion, à un point tel que vous avez créé un lien pour que vous puissiez conserver vos connaissances, lors de votre prochaine incarnation. Ce qui aura pour effet de vous amener à la recherche de renseignements pour pouvoir continuer votre enseignement.

Aussi, à titre d'exemple, au cours d'une de vos vies, vous avez côtoyé une personne qui vous a enseigné une méthode de guérison par l'énergie des mains. Un lien karmique s'est alors créé, mais il n'était pas complété. Lors de votre incarnation suivante, vous chercherez à connaître tous les bienfaits que peut apporter la guérison par les mains. Cela vous amènera vers le Reiki, les traitements énergétiques par l'imposition des mains ou autres. Si cette personne s'est réincarnée en même temps que vous, il est fort probable que vous la retrouviez, et vous continuerez de cheminer ensemble. Cette personne continuera à vous aider dans votre évolution, soit par l'enseignement ou par les conversations enrichissantes que vous aurez avec elle.

Voici un autre exemple. Vous avez vécu, disons, au Tibet, et vous avez créé un lien avec ce lieu puisqu'il vous a grandement nourri, lors de votre dernière incarnation. Vous étiez un moine tibétain. Donc, tout ce qui sera lié à ce lieu vous fascinera. Malgré le fait que votre religion actuelle soit différente, il y a de fortes chances que vous axerez vos énergies vers cette autre religion puisque celle-ci vous a nourri, lors de votre dernière incarnation.

Vous pouvez également répéter les mêmes erreurs d'une incarnation à une autre et, à chaque incarnation, ce lien se renforce. Souvent, ce genre de lien n'est pas bénéfique pour vous puisque vous ne réussissez pas à l'accomplir. Donc, dès que vous prenez conscience d'un tel lien karmique, il serait important de le compléter pour mieux continuer votre plan de vie. Tous ces liens karmiques sont puissants lorsqu'ils viennent de très loin. Toutefois, ceux-ci ne doivent pas entraver votre vie actuelle. Sinon, cela vous empêchera d'évoluer.

Certains liens se créent de vie en vie. D'autres se créent de là-haut, dans les cieux, et d'autres ici-bas, sur terre. D'autres encore se formeront par défi. Les liens créés par défi n'apporteront jamais de satisfaction, à moins de les accomplir correctement. Ils peuvent brimer votre spiritualité, votre bonheur ainsi que votre santé mentale, si vous n'y mettez pas fin.

Certains liens karmiques peuvent durer une éternité, surtout les liens qui nourrissent votre âme. Ces liens vous apportent toujours de belles situations. Ils vous font vivre de bons moments remplis de bonheur, de joie et d'amour. Tous ces liens font progresser l'être humain. Ces liens peuvent perdurer pendant plusieurs siècles. Ils s'échelonnent sur plusieurs incarnations. Ces liens peuvent être présents dans votre vie terrestre, et ils peuvent même continuer à évoluer dans votre vie céleste. Ces liens deviennent alors indestructibles. Ils ont été tissés par la famille d'âmes.

Défi

L'humain, de par sa nature, aime défier son plan de vie. Il cherche à évaluer son potentiel. Il n'est pas rare de le voir créer des liens par défi, et ce, tout au long de sa vie terrestre. Le défi le plus commun est celui de l'amour! Combien de personnes se donnent comme but ultime de se faire aimer d'une autre personne? Combien se donnent le défi d'amener telle personne dans leur lit? Qu'importe si la personne est libre ou pas! C'est de cette façon que vous créez un lien par défi.

Plusieurs personnes peuvent remuer ciel et terre pour accomplir un lien qu'ils ont eux-mêmes créé. Toutefois, il faut être prudent avec ce genre de lien : si vous ne l'accomplissez pas, vous ressentirez un vide qui vous détruira intérieurement. Il ne faut pas oublier que ce lien ne fait pas partie de votre plan de vie. Vous l'avez créé vous-même!

De plus, lorsque vous créez un lien par défi, vous stagnez dans votre évolution. Vous laissez de côté votre plan pour essayer d'accomplir un lien qui n'a pas raison d'exister. Alors, vous tournez en rond et il y a de fortes chances que votre santé mentale en souffre.

La meilleure chose à faire est de demander aux Anges de vous aider à mettre un terme à ce lien karmique créé par défi qui, la plupart du temps, nuit totalement à votre vie.

CHAPITRE X

Accomplir un lien karmique

Accomplir un lien karmique signifie terminer un lien qui vous unissait à quelqu'un ou à quelque chose pendant une période de temps donnée. Le lien a été accompli, il a rempli ses fonctions. Lorsqu'un lien est bien accompli, il n'a plus raison d'exister. La plupart du temps, un lien karmique se termine dans la Lumière. Lorsqu'il se termine en Lumière, il ne reste aucun vide et il ne fait aucun dommage. Chacune des personnes impliquées dans la relation continue son chemin, dans des directions opposées. Si ces personnes se rencontrent à nouveau, elles seront heureuses de se voir et elles se parleront. Elles auront toujours une pensée positive l'une pour l'autre.

Par exemple, supposons que vous vivez un lien karmique affectif avec quelqu'un. Votre union dure plusieurs années. Puis un jour, d'un commun accord, vous décidez de prendre des parcours différents. Vous vivez donc une séparation. C'est évident que vous aurez du chagrin puisque vous avez vécu de bons moments en compagnie de cette personne. Toutefois, le lien karmique qui vous unissait à cette personne s'est accompli, vous l'avez terminé. Donc, vous ne sentez plus le besoin d'être à ses côtés et vice-versa. Vous conserverez toujours de bons souvenirs de cette union. Vous êtes maintenant prêt à passer à l'étape suivante. À travers ce lien, vous avez grandi et accompli une partie de votre plan de vie. Lorsque vous revoyez cette personne, vous avez encore de belles conversations. Votre relation s'est transformée en une belle amitié. Vous ne sentez plus le besoin de vivre sous le même toit. Vous êtes toujours heureux de vous revoir.

Vous avez bien appris de ce lien; il était donc positif puisque les deux parties concernées sont heureuses, et ce, même si elles cheminent dans des directions différentes. Chacun de vous a construit une nouvelle vie et vous êtes bien dans votre peau. Votre lien karmique était peut-être les enfants, la sécurité financière, le respect ou autre. Peu importe la nature du lien. L'important, c'est que vous avez su bien l'accomplir et surtout le réussir!

Plusieurs personnes peuvent parcourir le monde pour accomplir un lien karmique. Prenez, par exemple, les personnes qui adoptent des enfants à l'étranger. Inconsciemment, leur envie d'adopter à l'étranger est souvent lié à un lien karmique qu'elles doivent accomplir. Pour ces personnes, c'est comme s'il manquait un maillon dans la chaîne, le maillon étant représenté par l'enfant à aller chercher. Leurs antennes s'éveillent et partent à la recherche de cette âme. À l'intérieur d'elles, elles savent où elles retrouveront l'autre partie de leur lien. Il n'y a pas de distance ni de limites physiques qui peuvent empêcher des personnes d'accomplir un lien karmique.

Par contre, il se peut qu'un lien karmique se termine dans l'Ombre. Si le lien a été accompli et qu'il n'a plus raison d'exister, les deux parties du lien cessent de l'entretenir, ce qui peut parfois être dur pour certaines personnes. Même si elles sont rendues à l'étape d'avancer dans une autre direction, certaines personnes conservent un fort sentiment de rancune ou de haine envers l'autre personne, et cela amène une fin marquée par des sentiments ombrageux. Un lien karmique qui finit en Ombre se terminera toujours dramatiquement. Il détruira les personnes qui entretenaient ce lien. Les personnes ne se parleront plus, et parfois même elles se déchireront par des paroles ou des gestes méchants.

Accomplir un lien karmique amorcé dans une vie antérieure

Dans de très rares cas, il arrive qu'une âme se réincarne plus rapidement que prévu, et ce, pour accomplir un lien karmique qu'elle n'avait pas eu le temps de terminer dans sa précédente incarnation. Ce genre de situations concerne plus particulièrement les âmes qui ont quitté de façon tragique.

Une telle âme peut, en l'espace d'un à trois ans, se réincarner dans le but de venir terminer ce qu'elle avait commencé. Cette âme se réincarnera dans un autre corps, dans une autre ville, avec d'autres parents. Toutefois, étant donné que le temps entre ses deux incarnations est très court, elle garde des mémoires de son ancienne vie. Cela peut s'avérer très difficile pour les parents de ces enfants puisque ces derniers affirmeront que leurs parents ne sont pas leurs véritables parents. Si cela vous arrive, ne brusquez pas l'enfant. Allez-y en douceur, faites des recherches et demandez de l'aide aux Anges pour qu'ils vous guident vers les meilleures ressources pour aider votre enfant.

Par contre, pour cette âme, il s'agira de trouver un équilibre en faisant la paix avec ses incarnations passées. De cette façon, elle pourra venir terminer sereinement le lien karmique qui l'a poussée à se réincarner si vite.

Donc, demandez aux Anges de l'aider à terminer le lien karmique lié à sa dernière incarnation.

PARTIE III

OUTILS POUR ÉLABORER VOTRE ARBRE PERSONNEL

CHAPITRE XI

Particularités des individus appartenant aux familles angéliques

Ce chapitre vous donne les caractéristiques des enfants (dans ce livre, le mot « enfant » signifie un enfant de Dieu ; il fait référence autant à des adultes qu'à des enfants) appartenant à chaque Chœur Angélique, selon s'ils sont dans la **Lumière** ou dans l'**Ombre**. Ces informations vous aideront à déterminer si vous entretenez une relation de nature positive avec un individu ou une relation négative. En général, lorsqu'une personne évolue dans la Lumière, vous avez automatiquement une relation positive avec elle, donc un lien karmique de nature positive.

Vous retrouverez également une **liste de bienfaits** qu'un lien karmique positif peut vous apporter si vous êtes en lien avec quelqu'un qui chemine dans la Lumière, ainsi qu'une **liste de situations néfastes** qu'un lien karmique négatif peut vous faire vivre si vous êtes en lien avec quelqu'un sous l'emprise de l'Ombre.

De plus, afin que vous puissiez mettre en lumière plus facilement les différents liens karmiques qui vous unissent aux gens que vous côtoyez, nous avons indiqué les **impacts d'un lien karmique négatif sur votre santé physique**. Ces informations ne sont pas divulguées dans le but de vous effrayer, mais plutôt de vous faire prendre conscience de l'existence d'un lien karmique négatif. Si vous souffrez d'un des maux physiques énumérés, et ce, depuis un certain temps, analysez les liens que vous entretenez et vous trouverez peut-être la source de vos problèmes physiques. Il est important de mentionner que vous pouvez également souffrir de ces ennuis de santé si vous laissez l'Ombre envenimer vos émotions ou si vous entretenez un lien karmique avec des situations, des lieux ou des substances.

Ces informations mises à votre disposition vous serviront à construire votre arbre personnel et à cerner la véritable nature de vos relations. Nous avons voulu donner le plus d'informations possible au sujet de divers scénarios relationnels. Toutefois, il se peut que vous ne trouviez pas l'information dont vous avez besoin pour construire votre arbre. Dans ce cas, il s'agit d'être créatif et de vous servir de vos propres observations concernant la relation que vous entretenez avec une personne.

Aussi, dans le but de vous aider à construire adéquatement votre arbre personnel, il est important de vous mentionner qu'il existe divers degrés d'Ombre. La partie Ombre des individus, appartenant à un Chœur en particulier, représente différentes nuances de l'Ombre. On y indique les petits défauts anodins d'une personne jusqu'aux défauts de l'âme qui représentent la plus sombre partie de l'Ombre. Les gens vivent toutes sortes de relations, de la plus sereine à la plus maléfique. Toutefois, sachez que l'Ombre véritable ne vit que dans des cas extrêmes. En général, les relations d'Ombre que vous entretenez se situent plutôt dans des teintes de gris, du plus pâle au plus foncé.

Vous remarquerez qu'il peut vous arriver de pencher légèrement vers le côté Ombre lorsque vous êtes malade. Votre corps physique ne fonctionne plus comme à l'habitude, vous êtes fatigué. Vos humeurs sont à fleur de peau. Le stress, l'insomnie, les mauvaises habitudes alimentaires et plusieurs autres facteurs dans votre vie peuvent faire pencher la balance davantage sur le côté Ombre. Ainsi, lorsque vous n'êtes pas dans vos énergies, le lien qui vous **unit à quelqu'un peut temporairement devenir négatif** parce que vous ne retirez aucun bienfait de cette interaction. En effet, pour qu'un lien karmique soit positif, il faut que les deux personnes retirent quelque chose de positif.

Ainsi, lorsque vous bâtirez votre arbre personnel, gardez en tête qu'une relation qui était de nature positive à la base, puisse se transformer temporairement en une relation négative. C'est la raison pour laquelle nous vous recommandons de faire votre arbre personnel plus d'une fois.

Le Chœur des Séraphins
(Niveau 9)

(Du 21 mars au 30 avril)

∞

Séraphins (Positif)

Lorsque l'enfant Séraphin est dans la Lumière, il brille par sa personnalité joviale et chaleureuse. Tous veulent se coller à lui! Ce Séraphin rehausse votre estime personnelle. Il aime taquiner et rire avec ses proches. Avec cette personne, vous apprenez rapidement ce que signifie l'entraide. Il n'y a pas de limites lorsqu'il s'agit d'aider un proche. Ses conseils sont judicieux et réfléchis. Il ne parle pas pour ne rien dire. Sinon, il se tait! Il aime les défis, ils le motivent. Il n'a pas peur de travailler ardemment pour atteindre et réussir ses objectifs, ses projets et ses rêves. Il est un grand amoureux. Il a beaucoup d'amour à donner à son partenaire. Il sera attentif à son égard. Ses paroles seront chaleureuses et réconfortantes. Il fera tout son possible pour le rendre heureux et lui plaire.

Sa famille occupe une place importante dans sa vie. Même s'il ne voit pas souvent ses proches, il s'organise pour les appeler ou obtenir de leurs nouvelles. L'enfant Séraphin Lumière possède de belles qualités. Il a le cœur sur la main. Il est un grand sensible avec un caractère de fer! Il ne se laisse pas berner si facilement! Personne n'entre aisément dans son cercle d'amis. Il vous évaluera, analysera avant de vous donner son amitié. Si vous la recevez, il deviendra un ami fidèle pour la vie!

Qualités qui le caractérisent :

○ Caractère puissant, intelligent; rien ne lui échappe.

○ Il possède une grande force mentale. Trouve toujours une solution pour se sortir de ses problèmes.

○ Il aime rire, aime la vie. Il est un bon comédien qui aime imiter les autres pour les faire rire!

○ Il aime le prestige. Il est distingué et possède une belle personnalité. Il est toujours bien vêtu. Son apparence est importante pour lui.

○ Il aime la beauté sous toutes ses formes.

○ Il est fidèle à ses engagements et honnête.

○ Ponctuel, il est toujours à l'heure.

○ Travaillant, il se donne au maximum pour bien accomplir ses tâches. Il déborde d'énergie et n'arrête jamais. Il a toujours mille et un projets en tête!

○ Il est généreux de sa personne et de son temps.

○ Il peut être très convaincant lorsqu'il débat une cause qui lui tient à cœur.

○ Artiste dans l'âme, il est créatif et productif. Il possède une voix d'or. Ses paroles éveillent la conscience des gens.

○ Il est franc, direct et loyal. Il vous dira toujours le fond de sa pensée!

○ Il est déterminé, courageux et intrépide. Rien ne l'arrête lorsqu'il s'agit de réaliser ses rêves et ses projets.

○ La réussite sera souvent son lot de récompenses.

Bienfaits qu'un lien karmique positif peut vous apporter lorsque vous êtes en lien avec un enfant Séraphin Lumière

○ Il est un passionné et un amoureux. Il sait comment raviver la flamme du désir. En relation, il sera compréhensif et très attentionné à son partenaire. Il se donnera au maximum pour vous voir heureux.

○ Il voit la beauté en tout et il rehausse votre estime personnelle. Il vous fera découvrir votre potentiel et il vous encouragera à bien l'utiliser.

○ Il est excellent pour vous guider vers l'amour et pour trouver un bon compagnon de vie.

○ Ses paroles peuvent sauver une union.

○ Il prendra bien soin de vous et il verra continuellement à votre bien-être.

○ Il vous encouragera et il vous appuiera dans vos démarches.

○ Il est un excellent conseiller. Il va réfléchir avant de vous donner son avis.

○ Ses paroles vous seront d'un très grand secours au moment opportun. Celles-ci vous aideront également à continuer votre route pour atteindre vos buts et vos projets. Il est un excellent messager.

○ Il ne vous abandonnera jamais. Il sera toujours là pour vous apporter de l'aide, et ce, dans tous les aspects de votre vie.

○ Il travaille bien en équipe. Il encouragera ses collègues et il les aidera dans leurs tâches. Sa vivacité et son entrain les aideront à atteindre leurs buts.

○ Il vous encouragera à persévérer pour bien accomplir vos projets.

○ Avec lui, vous apprendrez à connaître l'entraide, le partage et le dévouement.

○ Il développera en vous l'honnêteté, la franchise et la ponctualité.

○ Ses paroles vous encourageront et elles vous permettront de vous prendre en main et d'avancer vers vos rêves et vos buts.

○ Si vous êtes malade, il ira faire vos courses. Il vous conduira à vos rendez-vous chez le médecin. Son aide est précieuse et incommensurable lorsqu'il s'agit d'aider un proche. Il n'a pas de limites tellement il prend à cœur ses responsabilités.

○ Son amitié est sincère.

Séraphins (Négatif)

Un Séraphin sous la gouverne de l'Ombre est le diable en personne! Il faut s'en méfier et s'en éloigner. Il peut dérober ce qui vous appartient! Certains iront même jusqu'à voler votre identité. On ne peut pas se fier à lui. Le danger d'un Séraphin Ombre, c'est qu'il possède un charme irrésistible et qu'il est capable d'utiliser des paroles mielleuses pour parvenir à ses fins. Il utilisera son charme et vous enrobera de belles paroles. Au début, il sera gentil, il vous gâtera et il vous donnera tout ce que vous désirez. Il fera tout pour attirer l'attention dans sa direction. Vous développerez facilement des sentiments à son égard. Lorsqu'il se rendra compte qu'il a attrapé votre cœur, vous serez pris au piège. Ce Séraphin négatif vous fera des crises d'hystérie. Il est un jaloux maladif. Il est possessif et il ne veut pas vous partager avec quiconque. Il vous interdira des sorties et il cherchera à vous éloigner de votre famille et de vos amis. Il veut être le centre d'attraction. Il contrôlera votre vie. Il n'est pas toujours facile de s'en libérer. Si vous parvenez à vous en libérer, vous resterez tout de même avec des souvenirs désagréables et des séquelles émotionnelles, et parfois physiques.

Faiblesses qui le caractérisent :

● Il est détestable, égoïste. Il ne veut rien partager.

● Il se cherche une personnalité et n'est pas lui-même.

● Il veut être le meilleur, le premier. Il est un mauvais perdant.

● Il manque de diplomatie et de franchise.

● Malhonnête et menteur, ses paroles ne sont pas toujours franches ni honnêtes.

- Il est agressif avec ses gestes et paroles.

- Borné, il veut avoir raison à tout prix et ne laisse pas les autres s'exprimer.

- Il s'emporte facilement par la colère. Ses paroles sont mesquines et blessantes.

- Il pense que la terre va cesser de tourner s'il ne donne pas son 100 % immédiatement.

- Il est trop exigeant envers lui et les autres.

- Il est jaloux, manipulateur, possessif et hypocrite.

- Il aime l'alcool et les drogues.

- Pour obtenir du prestige, il sera prêt à faire de la contrebande. Tout pour avoir de l'argent et vivre comme un pacha !

Situations néfastes qu'un lien karmique négatif peut vous apporter lorsque vous êtes en lien avec un enfant Séraphin Ombre

- Il peut détruire une relation amoureuse par ses gestes et ses paroles.

- Il vous courtisera, il vous charmera, il sera passionné. Lorsque vous quitterez votre partenaire, votre famille, votre ville ou autre, pour le suivre, il vous abandonnera.

- Il cherchera l'aventure et les plaisirs sexuels. Il a un cœur volage. Il est infidèle. Il peut aimer plus d'une personne à la fois. Il s'agit ici d'amour simple et non d'amour profond. Il est incapable d'aimer profondément.

- Il vous fera des crises de jalousie épouvantables. Il vous empêchera de sortir et de vous épanouir.

- Il vous manipulera et vous écrasera. Cela pourrait affecter votre mental et votre estime personnelle.

- Il peut apporter beaucoup de désagréments dans le foyer.

- Il ne pensera qu'à lui et il vous fera vivre un enfer.

- Il vous tapera sur les nerfs. Vous vous sentirez étouffé en sa présence.

- Il sera exigeant envers vous. Rien ne le satisfera.

- Ses paroles vindicatives dérangeront votre équilibre mental.

- En sa présence, vous serez envahi par des sentiments de nervosité.

- Son attitude négative dérange l'harmonie au sein d'une équipe, d'un groupe ou d'une famille.

- Il aime le prestige, la renommée. Il peut donc écraser son prochain pour l'obtenir. Lorsqu'il veut quelque chose, il fera tout pour se le procurer, et ce, au détriment de son entourage.

- Sa façon d'agir peut vous rendre malade.

- Il peut vous voler ce qui vous appartient, même votre identité.

- Il cherchera à vous contrôler et à vous manipuler de façon diabolique.

- Il vous initiera aux drogues et à l'alcool.

- Il est têtu et entêté. Avec lui, vous n'aurez jamais le dernier mot. Il vous défiera avec ses paroles.

- Lors d'un débat, il vous contredira jusqu'à ce que vous lâchiez prise.

Impacts d'un lien karmique négatif sur la santé des enfants Séraphins

- Maux de tête

- Problèmes aux yeux

- Fibromyalgie

- Problèmes à l'estomac; reflux gastrique

- Maux de dos et de jambes (varices, phlébites)

- Hanches et genoux fragiles (Certains devront subir une intervention chirurgicale.)

- Douleurs physiques intenses

Le Chœur des Chérubins
(Niveau 8)

(Du 1er mai au 10 juin)

∾

Chérubins (Positif)

Lorsque l'enfant Chérubin est dans la Lumière, il rayonne par sa beauté et son charisme. Cet être peut tout vous donner pour vous rendre heureux. Il est joyeux et toujours de bonne humeur. Il aime siffloter et chanter des airs joyeux. Il aime également raconter des plaisanteries pour faire rire son public. Il cherche ainsi à détendre l'atmosphère. On se sent toujours en sécurité lorsqu'on est près de lui. En amour, il est fidèle, compréhensif et très attentionné aux besoins de sa famille. Le bonheur de sa famille est sa priorité numéro un. Cet être fera tout pour donner à sa famille de l'amour, de la sécurité et du bonheur. Il aime gâter ses proches et ses amis. Cet enfant Chérubin est adorable et l'on ne peut que l'aimer tellement il est bon et généreux de sa personne.

Il se soucie de la planète et il fera tout pour la garder saine et productive. Donc, il ramassera ses déchets et les recyclera. La propreté de son environnement est importante pour lui. S'il peut apporter son aide dans le but d'embellir la planète, il le fera.

Qualités qui le caractérisent :

- Il a un caractère jovial, enjoué et aimable.

- Il est toujours de bonne humeur. Il aime rire, s'amuser et jouer. Il est comme un enfant. Vivre et laisser vivre est sa devise dans la vie.

- Il est généreux de son temps et de sa personne.

- Il est honnête, bon et serviable.

- Loyal, il n'a qu'une seule parole. Il tient ses promesses.

- Il est fidèle à ses engagements.

- Vous aurez toujours l'heure juste avec cette personne.

- Il est travaillant. Il est toujours prêt à aider ses collègues.

- Économe, il ne dépense pas pour rien en ce qui le concerne. Toutefois, il peut dépenser des fortunes pour les autres.

- Il est un bon vivant et il aime la vie.

- Lorsqu'il vous fait une place dans son cœur, c'est pour la vie.

- Équilibré, il possède une force inébranlable devant les fléaux de la vie et ne se laisse pas emporter si facilement.

- Il se mêle de ses affaires.

- Il trouve toujours une solution à un problème.

Bienfaits qu'un lien karmique positif peut vous apporter lorsque vous êtes en lien avec un enfant Chérubin Lumière

- Il apporte de la tendresse et du réconfort. On se sent bien dans ses bras.

- Il couvrira son partenaire de baisers et lui chuchotera des mots doux.

- Très dévoué à sa famille, il sera toujours là pour lui venir en aide.

- Il prend le temps nécessaire pour écouter vos problèmes et vos ennuis. Ensuite, il vous donnera son point de vue.

○ Ses paroles sont importantes. Il réfléchit avant de parler et de dire n'importe quoi.

○ Il voit à votre bien-être et à votre sécurité.

○ Il vous apporte de l'aide financière. S'il peut vous dépanner financièrement, il le fera. Il possède un cœur d'or!

○ Si vous êtes malade, il saura bien prendre soin de vous.

○ Il ne vous jugera pas. Toutefois, il vous donnera de bonnes recommandations qui vous éviteront des problèmes.

○ Il vous encouragera et vous appuiera dans vos démarches.

○ Il vous aidera à réaliser vos rêves et vos projets. Il vous aidera à atteindre vos objectifs.

○ Il se dévouera complètement à son partenaire, à sa famille, à ses amis et à ses collègues de travail.

○ Vous pouvez lui faire confiance. Il n'ira jamais ébruiter vos secrets.

○ **Aux enfants Trônes** : Les paroles de ce Chérubin vous réconforteront. Il apportera de la magie dans votre vie. Il vous soutiendra et vous épaulera lors de vos difficultés. Son aide vous sera d'un très grand secours. Il vous permettra de réussir votre plan de vie. Ce Chérubin est l'une des clés pour vous aider à atteindre votre bonheur.

Chérubins (Négatif)

Un Chérubin sous la gouverne de l'Ombre est difficile à endurer. On ne veut pas être en sa présence. On fait tout pour s'en éloigner. Son attitude négative et vindicative dérange l'ambiance et tous ceux qui seront à ses côtés. Il n'a jamais de bons mots pour personne. Il est toujours en train de pointer du doigt les autres. Il a de la difficulté à regarder dans son propre jardin. Il voit le négatif en tout. Il se plaint continuellement. Il argumente continuellement. Il ne voit pas la beauté qui l'entoure. Il n'apprécie pas la valeur de ce qu'il possède. Il est toujours en train de se comparer aux autres. Avec lui, l'herbe est toujours plus verte chez le voisin. Il cherchera continuellement à ressembler aux autres, au lieu d'être lui-même. Il est parfois difficile de le comprendre puisqu'il possède parfois plus d'une personnalité. On ne sait jamais à quoi s'attendre en sa présence. Il est jaloux du bonheur des autres. Il n'a pas beaucoup d'amis et il ne fait rien pour conserver leur amitié.

Avec le temps, cet enfant Chérubin Ombre deviendra dépressif et se repliera sur lui-même. Son corps et son âme n'auront plus d'énergie. Il deviendra comme un robot. Petit à petit, il se laissera mourir. Certains auront des idées suicidaires. D'autres deviendront alcooliques ou consommeront des drogues. Il vivra dans son monde et il aura de la difficulté à vivre dans la réalité du moment présent.

Faiblesses qui le caractérisent :

- Dominateur, il a toujours le dernier mot. Il veut avoir raison à tout prix. Il ne lâche pas prise et ne veut rien comprendre.

- Il est toujours en train de se plaindre et il n'est jamais satisfait. À l'entendre, lui seul est parfait et ne commet jamais d'erreurs.

- Il fait des erreurs de jugement, mais il ne l'admettra jamais!

- Il ne prend pas le temps d'apprécier ce qu'il possède. Il est trop occupé à regarder la vie des autres et à la juger.

- Il est envieux, jaloux, possessif, pessimiste et menteur.

- Il n'a jamais le temps de ne rien faire pour ses proches.

- Il ne fait qu'à sa tête.

- Il manque de respect envers son prochain. Il se surestime et il abaisse les autres.

- Paranoïaque, il a peur de la mort et de la souffrance. Il n'a aucune endurance à la douleur.

- Il a peur de la maladie; il se croit souvent malade.

- L'insécurité règne en maître chez lui. Il a peur de tout.

- Instable et infidèle, il a de la difficulté à aimer.

- Il est délinquant.

- Il aime les substances hallucinogènes et il en consomme.

Situations néfastes qu'un lien karmique négatif peut vous apporter lorsque vous êtes en lien avec un enfant Chérubin Ombre

- Son attitude vindicative et pernicieuse vous rendra malade. Il vous fera vivre un calvaire.

- Il vous traitera avec mépris et vous lancera des jurons.

- Ses paroles seront méchantes et mesquines. Il n'est pas capable de dire un bon mot.

- Il vous jugera et vous abaissera continuellement. À ses yeux, vous ne valez rien.

- Il sera toujours en train de vous reprocher quelque chose. Il n'est jamais satisfait de rien. Il est malheureux, et il veut que tous le soient également.

- En tant que partenaire de vie, vous serez obligé de le faire vivre.

- Paresseux, il laisse tout traîner derrière lui. Il s'attend à ce que vous ramassiez à sa place.

- Il agit en roi. Il donne continuellement des ordres.

- Sous l'emprise de la colère, il perd le nord. Il pourrait donc vous blesser gravement.

- Infidèle, malhonnête et menteur, il peut vous raconter toutes sortes de balivernes.

- Il n'aura aucun respect pour vous.

- Il cherche continuellement la bataille.

- Lors d'une soirée, si vous ne lui portez pas attention, il vous boudera!

- Il n'aime pas vous partager avec les autres. Donc, il vous éloignera de vos amis. Il cherchera à être le seul dans votre entourage. Il peut acheter votre amitié, de peur de vous perdre!

Impacts d'un lien karmique négatif sur la santé des enfants Chérubins

- Problèmes d'ordre mental : dépression majeure, bipolarité, schizophrénie

- Maux de dos, maux musculaires

- Problèmes avec la peau

- Hémorroïdes

- Problèmes avec les organes génitaux

- Fibromyalgie

- Système immunitaire faible (Contracte tous les virus.)

- Insomnie

Le Chœur des Trônes
(Niveau 7)

(Du 11 juin au 22 juillet)

ᐧᐧᐧ

Trônes (Positif)

Lorsque l'enfant Trône est dans la Lumière, il est un doux rayon de soleil qui réchauffe le cœur de ses proches. Tel un vaillant guerrier, il est toujours prêt à les défendre et à leur apporter du soutien. Voir ses proches heureux, le rend heureux. Il aime recevoir ses proches et entretenir de belles discussions avec eux. Il déborde d'énergie. Sa tête est remplie d'idées et il s'organise toujours pour les mettre en action. Il est adorable et il prend soin de tout le monde autour de lui. Il est un excellent psychologue, thérapeute, médecin ou infirmier puisqu'il a le cœur tendre et l'oreille attentive. Ses paroles sont justes et honnêtes. Il se sacrifiera souvent pour faire plaisir aux autres. Tous ceux qui recevront l'aide d'un Trône l'adoreront. Il sait se mettre à la place de l'autre, donc il est en mesure de connaître leurs besoins, ce qui fait de lui un être exemplaire rempli de bonté et de bonne volonté. On ne peut que l'aimer et le respecter.

De plus, cet adorable Trône aime mémoriser les événements importants de sa vie. Vous retrouverez souvent des photos accrochées à son mur. Sa maison est invitante, elle respire le bonheur et la joie de vivre.

Qualités qui le caractérisent :

○ Il a un caractère puissant, il est intelligent; rien ne lui échappe.

○ Intuitif, il ressent l'énergie des gens très facilement.

○ Il n'aime pas les ennuis; il s'en éloigne rapidement.

○ Artiste dans l'âme, son goût raffiné pour les belles choses lui donne du style. Il est avant-gardiste.

○ Il est débrouillard et il sait s'organiser.

○ Il trouve toujours une solution à ses problèmes.

○ Il s'adapte facilement aux changements.

○ Il aime aider son prochain. Il prend plaisir à faire du bénévolat. On peut toujours compter sur lui et sur son aide précieuse.

○ Généreux de son temps et de sa personne, rien ne l'arrête lorsqu'il s'agit d'aider une cause quelconque.

○ Il est un excellent messager. Il adore les conversations enrichissantes et les repas en bonne compagnie.

○ Il est honnête, respectueux, généreux et travaillant.

○ Il est actif et productif.

Bienfaits qu'un lien karmique positif peut vous apporter lorsque vous êtes en lien avec un enfant Trône Lumière

○ Il vous apportera du soutien et de l'aide. Il vous réconfortera lors de moments difficiles.

○ Ses paroles vous encourageront et elles vous aideront à vous prendre en main.

○ Il se mettra toujours à votre place. Il parviendra donc à vous trouver la meilleure solution, le meilleur remède, la meilleure parole, etc.

○ Il remplira la vie de son partenaire. Il sait se faire beau, attirant et désirable. Son partenaire aura de la difficulté à lui résister.

- ○ Il donne beaucoup d'amour. Sa mission est de vous rendre heureux.

- ○ Il vous fera rire.

- ○ Il organisera souvent des soirées pour vous faire plaisir. Il vous gâtera et prendra bien soin de vous.

- ○ Il prendra le temps de vous écouter et de vous conseiller.

- ○ Il apportera beaucoup de vivacité dans votre vie.

- ○ Son côté maternel calmera vos états d'âme et les soignera. On se sent en sécurité sous sa responsabilité.

- ○ Il sera très attentif et dévoué aux besoins de ses enfants et de sa famille. Il donnerait la lune pour les voir heureux.

- ○ Son amitié est sincère.

- ○ Si vous êtes malade, il prendra bien soin de vous. Il vous câlinera de tendresse. Il fera tout son possible pour que vous puissiez recouvrer la santé.

Trônes (Négatif)

Un Trône sous la gouverne de l'Ombre critiquera continuellement et criera tout le temps au lieu de parler. Il clamera tout haut que rien n'est bien dans sa vie, que tous sont contre lui et que personne ne l'aime. Il s'éloignera de tous ceux qui cherchent à l'aider. Il sera souvent le déclencheur de batailles. Il n'admettra jamais ses torts, donc il défiera tous ceux qui chercheront à lui faire entendre raison. Il ne sera pas honnête envers lui ni envers les autres. Il racontera des histoires et sera malhonnête. Son attitude rancunière chassera les bonnes personnes; il se retrouvera en compagnie de gens qui nourriront son Ombre, ce qui ne l'aidera pas psychologiquement. Il cherchera à oublier ses problèmes, et même son existence, en consommant de l'alcool ou toutes sortes de drogues. À la longue, cela attaquera son moral et son mental et l'incitera au suicide. C'est dommage, car ces Trônes devront revenir sur terre et recommencer leur plan de vie. Voilà l'importance pour ces Trônes Ombre de trouver la voie de la Lumière. (Référez-vous au livre *Les Anges au Quotidien* pour savoir comment chasser l'Ombre.)

Faiblesses qui le caractérisent :

- Il aime contrôler la vie de ses proches.

- Il n'écoute pas les conseils. Il n'en fait qu'à sa tête et cela lui occasionne souvent des problèmes.

- Il pense que personne ne l'aime.

- Il s'éloigne de sa famille.

- Il se chicane souvent. Ses paroles sont blessantes.

- Il manque de respect. Il peut envoyer promener quelqu'un facilement. Il manque de diplomatie.

- Bavard, il a de la difficulté à garder un secret.

- Difficile d'approche, il vit dans son monde, dans sa bulle, et il n'y laisse entrer personne.

- Il est misanthrope.

- Il est suicidaire.

- Il consomme de l'alcool et de la drogue.

- Il ne respecte pas son corps.

- Impulsif, il peut faire des crises d'hystérie, et ce, sans avertissement.

- Il est jaloux et colérique.

- Irrespectueux envers les biens des autres, il se les appropriera ou les détruira sans leur consentement.

Situations néfastes qu'un lien karmique négatif peut vous apporter lorsque vous êtes en lien avec un enfant Trône Ombre

- Il vous fera des crises de jalousie épouvantables.

- Il vous initiera à toutes sortes de drogues ou à des vices quelconques qui mettront votre vie en danger.

- Infidèle, il cherchera à combler ses désirs sexuels.

- Il dérangera votre quiétude.

- Il vous apportera toutes sortes de problèmes.

- Il vous impliquera souvent dans des histoires rocambolesques, ce qui vous causera des ennuis. Il camouflera la vérité.

- Il volera vos biens et votre argent pour se payer du luxe.

- Ses paroles seront mesquines et méchantes. Il criera son désarroi continuellement.

- Il vous contrôlera et il vous manipulera. Pour obtenir une faveur de votre part, il sera prêt à vous manipuler et à jouer avec vos sentiments pour que vous lui donniez ce qu'il veut.

- Il vous charmera avec ses paroles pour mieux vous harponner. Ainsi, il fera ce qu'il veut de vous par la suite, ce qui risque de vous coûter cher!

- Il n'aura jamais un bon mot à vous dire. Il vous causera souvent de la peine.

- Il vous critiquera constamment et il vous réprimandera continuellement.

- Il rejettera souvent la faute sur vous et il s'en lavera les mains. Certains pourraient avoir de graves ennuis judiciaires à cause de lui.

- S'il peut vous écraser, il le fera. Donc, méfiez-vous!

Impacts d'un lien karmique négatif sur la santé des enfants Trônes

- Migraines et sinusites

- Maladies mentales (dépression, anxiété et phobies de toutes sortes)

- Problèmes aux reins, à la vessie et aux organes génitaux

- Fibromyalgie

- Faiblesse de la colonne vertébrale et du cou, torticolis

- Problèmes avec le tunnel carpien

- Manque d'énergie, anémie et système immunitaire faible

- Allergies, eczéma nerveux ou problèmes de peau (démangeaisons, zona)

Le Chœur des Dominations
(Niveau 6)

(Du 23 juillet au 2 septembre)

Dominations (Positif)

Lorsque l'enfant Domination est dans la Lumière, il rayonne par sa beauté intérieure, par sa gentillesse et par son sourire. Il est rempli de bonté, de tendresse et d'amour. Il est talentueux. Ses idées sont constructives et il atteint souvent ses objectifs. Sa spiritualité est très éveillée. Il possède la capacité d'instaurer la paix autour de lui; c'est la raison pour laquelle l'enfant Domination est un messager de paix et d'harmonie. Il n'aime pas la chicane et il préfère s'en éloigner plutôt que d'y être impliqué. Il adore apporter son aide, sans rien demander en retour. Vous voir heureux, c'est ce qui compte. Lorsqu'il se sent utile, son estime et sa confiance sont à la hausse, il devient donc deux fois plus productif et actif. Lorsqu'il s'aperçoit que son aide est appréciée, il fait tout pour aider et apporter son soutien.

Qualités qui le caractérisent :

- Artiste dans l'âme, ses mains sont source de nouveauté et de créativité. Il possède une voix d'or. Ses paroles soulagent et guérissent l'âme.

○ Il est franc et direct. Vous aurez toujours l'heure juste avec lui.

○ Avant d'entreprendre un projet, il l'analyse, ce qui lui permet de réussir ce qu'il entreprend.

○ Il est sociable, aimable et adorable. On ne peut que l'aimer et l'on cherche à conserver son amitié.

○ Il aime apporter son aide. Il jase avec tout le monde. Il aime faire rire en racontant ses histoires drôles. Ses paroles réconfortantes détendent l'atmosphère.

○ Ses idées sont constructives et elles lui permettent de réaliser de grands projets.

○ Il est intelligent. Il voit tout, il sait tout et il comprend tout. Il suffit de ne lui expliquer qu'une seule fois!

○ Son regard est rempli de tendresse et de bonté. Ce qui fait de lui un être charmant et irrésistible!

○ Il est ordonné. Il aime que tout soit bien rangé.

○ Il a une belle personnalité. Toujours bien vêtu, on le remarque dans une foule par sa prestance et son charisme.

○ Il est un grand passionné, un grand romantique et un grand amoureux.

○ Il fait tout pour rendre le monde heureux.

Bienfaits qu'un lien karmique positif peut vous apporter lorsque vous êtes en lien avec un enfant Domination Lumière

○ Il vous donnera de bons conseils. Ceux qui l'écoutent trouveront un sens à leur vie. Vous sortirez facilement du pétrin grâce à cet individu Domination, tout comme vous parviendrez à réussir vos projets puisque la personne née dans le Chœur des Dominations saura bien vous diriger.

○ Ses paroles seront justes et honnêtes. Il vous dira exactement le fond de sa pensée.

○ Ses paroles vous réconforteront lors de périodes difficiles. Il sera en mesure de vous relever, si vous trébuchez ou si vous tombez.

○ Il sera toujours en mesure de vous tirer d'ennuis.

○ Il vous apportera de l'aide, et ce, dans tous les aspects de la vie. Il se donnera beaucoup de peine et il surpassera les limites de ses capacités pour vous voir heureux.

○ Il fera tout pour ramener la paix dans votre vie.

○ Il est très dévoué à son partenaire. Il aime le câliner et le couvrir de cadeaux.

○ Il aime gâter les gens de son entourage. C'est sa façon de leur dire combien qu'il les aime et qu'ils occupent une place importante dans sa vie.

○ Ses relations amicales et professionnelles sont très précieuses à ses yeux. Il prend toujours le temps nécessaire pour leur venir en aide.

○ Il est très généreux de sa personne et de son temps. Il peut tout vous donner.

○ Il vous sera fidèle.

○ Il remplira toujours ses promesses. Il ne vous laissera jamais tomber.

○ Il sera très fier de vous et de votre succès.

○ Lors de maladie, il prendra énormément soin de vous. Il ne vous abandonnera jamais. Il est un Ange terrestre.

Dominations (Négatif)

Un individu Domination sous la gouverne de l'Ombre sème la zizanie partout où il passe. Rien ne l'arrête. S'il doit écraser son prochain pour obtenir ce qu'il désire, il le fera. Il faut donc s'en méfier. Sous son allure chevaleresque, il peut tout vous enlever et ne rien vous laisser. Vous pouvez sortir meurtri de cette relation. Si vous pouvez l'éviter à tout prix, cela vous sera avantageux, et ce, dans plusieurs aspects de votre vie. L'individu Domination négatif est méchant avec ses paroles. Il peut vous blesser, vous anéantir et vous causer du tort. Il n'aura aucun remords. Il est impulsif et il provoque souvent des tempêtes, voire des orages avec ses gestes et ses paroles. Tout au long de sa vie, il vivra toutes sortes d'ennuis et de grandes peines. Sa vie sera morne et sans aucun éclat. Le regard sera malheureux et il se détruira intérieurement à petit feu. Plusieurs Dominations auront de graves ennuis de consommation. Ils peuvent ingurgiter toutes sortes de drogues ou de médicaments pour essayer de fuir la réalité du moment présent. Toutefois, ces enfants Dominations malheureux n'ont qu'à trouver leur Lumière, leur spiritualité et ils verront leur vie s'améliorer très rapidement.

Faiblesses qui le caractérisent :

- Menteur, on ne peut jamais connaître la vérité. Il a de la difficulté à être franc avec son prochain.

- Dominateur et têtu, il aime contrôler sa famille, ses amis, ses collègues de travail.

- Il n'écoute jamais ce qu'on lui dit.

- Son orgueil est mal placé. Il est rancunier.

- Lorsqu'il fait une erreur, il jette la faute sur les autres. Il a de la difficulté à admettre ses erreurs. À ses yeux, il est parfait!

- Hystérique, il crie au lieu de parler. Il est très dangereux lorsqu'il est en crise. Il peut blesser gravement.

- Il souffre régulièrement de dépressions et de fatigue chronique.

- Il a le regard dans le néant, sans aucune expression; il est mort à l'intérieur et cela se reflète sur l'extérieur.

- Il est jaloux du bonheur des autres.

- Possessif, envieux et mécontent, il critique continuellement son prochain.

- Il a un problème de dépendance (jeux, alcool, drogue, etc.).

- Il a une langue de vipère.

- Craintif et inquiet, il vit dans l'insécurité et il a peur de l'avenir.

Situations néfastes qu'un lien karmique négatif peut vous apporter lorsque vous êtes en lien avec un enfant Domination Ombre

- Il vous critiquera sans cesse et vous détruira par ses paroles mesquines.

- Il causera souvent des batailles avec ses paroles et ses gestes. Vous aurez des discussions animées avec lui.

- Vous aurez de la difficulté à lui faire entendre raison. Il est borné et têtu.

- Il fera tout le contraire de ce que vous lui direz. Il ne vous écoutera pas.

- Il est très difficile de travailler avec lui. Il cherche la perfection chez les autres.

- Il n'est pas de tout repos. Il dérangera vos énergies.

- Il est un partenaire contrôleur, jaloux et possessif. Il vous dira comment vous comporter devant les autres, tout comme il vous dira comment vous vêtir. Vous serez sous son emprise et il sera difficile pour vous de vous en libérer.

- Il vous manipulera et vous fera du chantage.

- Il détruira votre réputation.

- Il vous écrasera pour obtenir ce qu'il désire.

- Il vous impliquera souvent dans ses batailles et il jettera la faute sur vous.

- Il vous fera des crises d'hystérie sans aucune raison valable.

- Il est dangereux lors de crises. Il faut s'en méfier et s'en éloigner immédiatement. Sinon, vous risquez d'être blessé physiquement et émotionnellement.

- Il vous fera vivre un calvaire avec sa dépendance aux drogues, aux jeux ou à l'alcool.

- Il vous racontera souvent des mensonges et il sera toujours difficile de connaître la vérité.

- Il est infidèle.

Impacts d'un lien karmique négatif sur la santé des enfants Dominations

- Problèmes cardiaques

- Dépression, crises de panique

- Mal de vivre

- Insomnie

- Problèmes avec l'estomac

- Problèmes liés au sang (ex. : anémie)

- Problèmes avec le dos, le cou et les épaules

- Surdité

- Problèmes avec les organes génitaux

Le Chœur des Puissances
(Niveau 5)

(Du 3 septembre au 13 octobre)

Puissances (Positif)

Lorsque l'enfant Puissance est dans la Lumière, il scintille de bonheur! Il est adorable et d'un grand service. Il est très dévoué à sa famille et il fera tout son possible pour la rendre heureuse. Il n'aime pas la chicane ni les batailles. Il fera tout pour les éviter et pour s'en éloigner. Il aime l'harmonie, la quiétude et la joie de vivre. Il est loin d'être paresseux. Il est un bon travaillant. Cet enfant est productif; il crée, il résout les problèmes, il trouve les solutions. Bref, il est une véritable bête de somme. Cette attitude gagnante lui permet de réussir tout ce qu'il entreprend. Il est doté d'une grande patience; il peut refaire la même action aussi longtemps qu'il le faut pour bien la réussir. Il peut tout défaire pour mieux recommencer et cela ne le dérange pas. L'enfant Puissance a en lui une puissance extraordinaire pour réussir sa vie. Il possède toutes les qualités imaginables pour trouver du travail ou en créer. Tout le conduit au succès!

Qualités qui le caractérisent :

○ Il a beaucoup de caractère et il est intelligent; rien ne lui échappe.

○ Il est photogénique.

- Fidèle à ses engagements, il ne vous laissera jamais tomber. Lorsqu'il vous donne sa parole, vous pouvez compter sur lui.

- Sa famille est très importante. Il ne vit que pour elle. Le bonheur de sa famille fait son bonheur.

- Dévoué à sa famille, il est un bon parent.

- Travailleur acharné, il ne prend aucune vacance. Il n'a pas peur de travailler.

- Il se débrouille bien. Il est courageux; rien ne l'arrête.

- Il est patient.

- Il est un bon chef d'équipe.

- Compréhensif, il est toujours à l'écoute des besoins des autres.

- Il aime apporter son aide.

- Il est un bon conseiller. Il prend le temps d'analyser la situation avant de donner son point de vue.

- La fidélité est l'une de ses grandes qualités.

- Il est ordonné. Il aime la propreté. Tout est bien rangé.

Bienfaits qu'un lien karmique positif peut vous apporter lorsque vous êtes en lien avec un enfant Puissance Lumière

- Il trouvera toujours de bonnes solutions pour régler vos problèmes.

- Il vous apportera son soutien, son aide et de bons conseils.

- Il est d'une bonne écoute. Il prendra le temps nécessaire pour vous écouter.

- Ses paroles sont réconfortantes. Elles apaisent et calment l'esprit.

- Si vous êtes malade, il saura bien prendre soin de vous.

- Il est disponible pour tout le monde. Il peut passer des heures à vous aider et il ne s'en plaindra jamais.

- ○ Il vous aimera et il sera fidèle. Il fera tout son possible pour rendre son partenaire heureux et lui faciliter la vie.

- ○ Il sera un excellent coéquipier de travail. Il apporte son soutien, son aide et son savoir.

- ○ Il vous aidera à bâtir vos rêves et à les réaliser.

- ○ Il est attentif aux besoins de ceux qu'il aime.

- ○ Vous passerez des heures agréables en sa compagnie.

- ○ Il est un bon hôte et il s'assure que ses convives sont à l'aise et qu'ils passent une excellente soirée.

- ○ Il aime gâter ses proches. Il apportera souvent de petits plats qu'il aura préparés avec amour pour voir s'afficher un sourire sur leurs lèvres.

- ○ Il est adorable et on ne peut que l'aimer. On se sent en sécurité auprès de lui et dans ses bras. Il sait réconforter une personne en détresse.

Puissances (Négatif)

Un enfant Puissance sous la gouverne de l'Ombre critiquera continuellement. Il ne sera jamais satisfait de rien. Il sèmera la zizanie. Il fera des erreurs de jugement. Il se retrouvera souvent dans des situations ambiguës et sans aucune porte de sortie. Il a de la difficulté à se sortir de ses ennuis. Il est la proie de son propre jeu. Il adore jouer à la victime, au lieu du sauveur. Il se plaint continuellement. Il blâme tout le monde pour ce qui lui arrive. Il a de la difficulté à admettre ses erreurs. C'est la raison pour laquelle il blâme les autres pour les malheurs qui se produisent dans sa vie. Au lieu de trouver une solution ou une porte de sortie, il préfère sombrer dans le néant, de sorte que les gens le prendront en pitié. Il s'apitoie tellement sur son sort, qu'il en fait pitié! Il est tellement ancré dans sa négativité que personne ne cherche à le secourir puisqu'il risque d'y laisser sa peau et avec raison. L'enfant Puissance négatif sera en constante opposition avec sa vie, car il aura plusieurs obstacles à surmonter. Son entourage sera souvent indigné par ses comportements vindicatifs et diaboliques. Il blessera souvent les autres par ses paroles méchantes. Il a également de la difficulté à vivre dans le moment présent. Il se remémore continuellement le passé. Il vivra dans l'amertume du passé, au lieu d'avancer vers un avenir plus équilibré.

Faiblesses qui le caractérisent :

- Il juge son prochain. Tout le monde a tort, sauf lui.

- Il ne se mêle pas de ses affaires. Il peut souvent causer de la discorde et des batailles à cause de son manque de respect envers les autres.

- Il a tendance à exagérer les événements.

- Il vit souvent de la discorde dans sa famille. Il est considéré comme la bête noire de la famille.

- Il déclenche souvent des batailles inutiles à cause de ses paroles et de ses gestes vindicatifs.

- Il est paresseux. Il se laisse vivre par la société. Il ne veut rien savoir de travailler.

- Il a de la difficulté à se débrouiller seul. Il a toujours besoin des autres pour entamer quoi que ce soit. Il manque de confiance.

- Il cherche à surpasser tout le monde, cela lui coûte cher.

- Envieux et jaloux du bonheur des autres, il va souvent dire que les autres sont chanceux mais pas lui. Pourtant, il a tout pour être heureux, mais il ne le remarque pas, ou il ne veut pas le remarquer!

- Il n'écoute jamais ce que les autres ont à dire. Il est centré sur lui-même.

- Égoïste, il ne donne rien et ne prête rien. Tout a un prix pour lui!

- Il est infidèle, malhonnête et pernicieux.

- Il manque de discernement.

Situations néfastes qu'un lien karmique négatif peut vous apporter lorsque vous êtes en lien avec un enfant Puissance Ombre

- Il vous écrasera par ses gestes et ses paroles.

- Il vous manipulera et vous contrôlera. Il ne sera pas facile de vivre avec lui. Il fera vivre l'enfer à son partenaire.

- Il vous menacera de vous quitter et de vous détruire.

- Son énergie est difficile à supporter.

- Il vous utilisera pour arriver à ses fins. Lorsqu'il obtiendra ce qu'il voulait, il vous abandonnera, et ce, sans raison valable.

- Il déteste la maladie. Donc, si vous tombez malade, il s'éloignera de vous en prétextant que cela le dérange émotionnellement.

- Il cherche l'aventure et les plaisirs sexuels. Il peut vous raconter toutes sortes d'histoires pour vous faire tomber dans son piège. Lorsqu'il vous aura eu, il vous laissera tomber!

- Il sèmera la zizanie au sein de son équipe. S'il n'aime pas quelqu'un, il fera tout pour tourner les gens contre cette personne. Il est un vrai diable!

- Il inventera des histoires pour se sortir d'embarras.

- Il attaque les plus faibles. Il veut les contrôler et les manipuler.

- Il est toujours en brouille avec les membres de sa famille. On le fuit. Il essaie trop de s'immiscer dans leur vie. Ensuite, il ébruite des histoires à leur sujet. C'est la raison pour laquelle sa famille lui tourne le dos.

- Sa manière d'agir peut vous rendre malade.

- Il est souvent le déclencheur de discussions animées. À la moindre réaction de votre part, il peut vous accuser et vous causer des ennuis. Il peut même vous amener en cour pour des futilités!

- Il est le roi des problèmes. Avec lui, vous aurez vous aussi des problèmes. Il vous en fera voir de toutes les couleurs! Donc, il vaut mieux s'éloigner de lui que de rester à essayer de le tirer d'ennui. De toute manière, vous n'y parviendrez jamais!

Impacts d'un lien karmique négatif sur la santé des enfants Puissances

- Maux musculaires (ex. : fibromyalgie, arthrite)

- Grande fatigue morale, dépression majeure

- Problèmes avec le dos, le cou, les épaules, les genoux et les hanches (Certains subiront des interventions chirurgicales.)

- Phlébites

- Problèmes avec le sang (ex. : cholestérol, diabète, anémie)

- Problèmes de tension artérielle

- Problèmes avec les intestins (ex. : hémorroïdes)

Le Chœur des Vertus
(Niveau 4)

(Du 14 octobre au 22 novembre)

Vertus (Positif)

Lorsque l'enfant Vertu est dans la Lumière, il rayonne de bonheur. Il représente la joie de vivre. Il peut tout vous donner tellement il est généreux de sa personne. Voir ses proches heureux le rend heureux. Il est un être dynamique, productif et créatif. Il est toujours rempli de bonnes idées et il connaît la bonne procédure à prendre pour réaliser ses objectifs. Grâce à ses talents et à sa détermination, il connaît le succès et la réussite. Il n'a pas peur de travailler pour obtenir ce qu'il désire. Tous chercheront à lui ressembler. Ils seront émerveillés de sa force, de sa dévotion, de son savoir et de sa puissance. Ils se colleront donc à cet individu Vertu positif pour aller puiser l'essentiel de ses connaissances et ils en sortiront gagnants. Il possède un cœur magnanime. On ne peut que l'aimer et le respecter.

Un être appartenant au Chœur des Vertus est également un excellent guérisseur de l'âme et du corps. Les médecins et les thérapeutes Vertus peuvent accomplir des miracles. Ceux-ci savent bien prendre soin de leurs patients. Ils sont attentionnés à leurs besoins et ils feront tout afin qu'ils puissent recouvrer une bonne santé.

L'enfant Vertu est la réponse à vos questions, la Lumière pendant vos jours obscurs, la boussole qui vous guide, la chaleur qui vous réchauffe. Il sera votre soleil, lors de jours de pluie et le ruisseau qui vous calme l'esprit, lors de tempêtes émotionnelles. Telles sont les propriétés bienfaisantes d'un individu Vertu lorsqu'il vous prend sous sa responsabilité et qu'il vous donne son cœur.

Qualités qui le caractérisent :

- Il possède un cœur magnanime. Il est toujours en train d'aider son prochain.

- Il est un excellent messager. Ses paroles sont importantes; elles réconfortent et elles guident toujours aux bons endroits.

- Il est très intuitif. Il voit des choses que les autres ne voient pas. Si une personne n'est pas honnête, il va le ressentir immédiatement.

- Gentil, aimable et agréable, il est un bon vivant. Il affiche toujours un sourire sur ses lèvres. Il salue tout le monde sur son passage.

- Il est compréhensif aux besoins des autres.

- Franc, honnête et direct, vous aurez toujours l'heure juste avec lui. Il vous dira toujours le fond de sa pensée.

- Sans rancune, il dit ce qu'il a à vous dire et ensuite, il tourne la page. Il ne reste pas accroché à son passé. Il avance continuellement. Il évolue.

- Diplomate et respectueux, il sait dire les choses correctement, sans blesser ni vexer.

- Il est un passionné dans tout ce qu'il entreprend. Il est un artiste dans l'âme. Il crée, bâtit, construit et réalise.

- Rempli d'énergie, il a toujours un projet en tête.

- Il possède une belle personnalité. Il est toujours bien vêtu.

- Il prend soin de sa santé.

- Cultivé, il aime s'instruire et apprendre. On peut avoir mille et un sujets de conversation avec lui. Il saura toujours vous surprendre avec ses connaissances dans plusieurs domaines.

- Charmeur, il possède tout un charisme. On ne peut lui résister.

Bienfaits qu'un lien karmique positif peut vous apporter lorsque vous êtes en lien avec un enfant Vertu Lumière

○ Il vous trouvera toujours de bonnes solutions pour régler vos problèmes.

○ Il vous appuiera dans vos démarches. Il ne vous laissera jamais tomber.

○ Il vous soutiendra financièrement pour vous aider à vous sortir d'ennuis.

○ Il sera toujours présent lorsque vous lui demanderez de l'aide.

○ Il vous aimera et il vous gâtera. Votre bonheur sera le sien. Il vous sera fidèle. Il vous surprendra toujours avec ses petites attentions et ses petits cadeaux. Faire partie de sa vie, c'est être en bonnes mains!

○ Il vous protégera des gens malfaiteurs.

○ Il prendra toujours votre défense. Toutefois, si vous avez tort, il vous le dira. Malgré tout, il vous défendra. Il ne vous jugera pas. De là, son cœur magnanime.

○ Si vous êtes malade, il saura bien prendre soin de vous. Il se renseignera sur la maladie pour pouvoir mieux vous venir en aide.

○ Ses conseils seront judicieux et il vous aidera à bien les appliquer dans votre quotidien, s'il le faut.

○ Il n'a qu'une seule parole. Lorsqu'il fait une promesse, il la tient.

○ Il est honnête et il vous dira toujours le fond de sa pensée. Il vous donnera toujours l'heure juste.

○ Il démasquera les hypocrites autour de vous. Il vous donnera son avis sur les intentions de certaines personnes. Vous réaliserez souvent qu'il a vu juste.

○ Il a le pardon facile. Si vous lui faites de la peine, il vous le dira immédiatement. Par la suite, il tournera la page; il continuera de vous aimer et de vous aider.

- ○ Vous aurez toujours de belles conversations enrichissantes avec cet individu Vertu. Il aime parler de tout.

- ○ Il vous aidera à élever votre spiritualité refoulée.

- ○ Il vous aidera à créer votre paradis sur terre.

Vertus (Négatif)

Un enfant Vertu sous la gouverne de l'Ombre est le diable en personne. Il domine, contrôle et écrase son prochain. Il n'a aucun respect pour personne. Il sème le doute dans le cœur des gens. Il est donc important de ne pas vous laisser influencer par cet individu Vertu négatif. N'oubliez pas qu'il cherche tout simplement à vous détruire psychologiquement pour mieux avoir le contrôle sur vous. Si vous vous laissez emporter par ses paroles mesquines, vous sombrerez dans le néant.

Si cet enfant Vertu vous envoûte, vous aurez de la difficulté à vous en sortir et à vous en libérer. Il est un expert en manipulation. S'il est conscient que vous possédez des sentiments à son égard, il vous fera vivre un calvaire. Il jouera avec vos sentiments. Il vous fera croire des choses invraisemblables. Lorsque vous lui tournerez le dos pour vous éloigner de lui, il reviendra à la charge. Il changera d'attitude. Il deviendra tout doux et mielleux. Il vous dira de belles paroles, il accomplira de beaux gestes et il fera tout pour vous plaire pour que vous puissiez changer d'idée à son sujet. Il vous envoûtera de nouveau et vous tomberez de nouveau dans son piège. Cela risque de vous épuiser mentalement. Il faut parfois de l'aide extérieure pour mieux se libérer d'un individu Vertu Ombre. Certains en resteront marqués pour la vie. D'autres suivront une thérapie pour mieux se libérer de cette mauvaise expérience.

Un enfant Vertu envahi par l'Ombre aura un visage ridé, fade et sans aucune expression. Son regard sera fixe, sans vie. Il ne veut pas voir la lumière au bout du tunnel. Il préfère vivre dans la noirceur absolue et se morfondre en arrosant sa peine avec de l'alcool, des drogues ou toutes autres substances qui lui permettent de s'enfoncer davantage dans le négatif. Cet être n'a jamais un bon mot à dire sur personne. Il ne voit pas l'utilité de le faire. Il adore critiquer. À ses yeux, il est le seul être parfait sur terre.

Lorsque vous n'agissez pas à sa manière, il ne se gênera pas pour vous lancer son venin au visage. Mieux vaut s'éloigner de cette personne Vertu Ombre. Sinon, votre santé mentale en écopera.

Faiblesses qui le caractérisent :

- Détestable et égoïste, il ne veut rien partager avec personne. Il voit à ses besoins avant de voir aux besoins des autres.

- Dominateur, il veut avoir raison à tout prix. Il s'obstinera avec vous jusqu'à ce que vous lâchiez prise.

- Il aime contrôler son entourage et le manipuler.

- Il n'a pas beaucoup d'amis. Tous s'en éloignent. Son attitude vindicative fait peur aux gens.

- Lorsqu'il est dans sa bulle, il ne faut pas le déranger, sinon il perd le nord. Il est colérique.

- Alcoolique, drogué, joueur compulsif, il peut tout perdre à cause de l'une de ces dépendances.

- Il manque de tendresse.

- Ses sont paroles mesquines. Elles détruisent et elles provoquent souvent des batailles de toutes sortes.

- Son langage est vulgaire. Il lance des jurons.

- Cambrioleur, il faut surveiller votre argent ou vos biens. Il peut vous charmer pour tout vous soutirer par la suite.

- Contrebandier, trafiquant de drogue… Il est prêt à tout pour faire de l'argent facilement.

- Il ne respecte pas les lois. Il fait sa propre loi.

- Il manque de diplomatie.

- Il se croit important. À ses yeux, il ne fait pas d'erreurs. Ce sont les autres qui en font!

Situations néfastes qu'un lien karmique négatif peut vous apporter lorsque vous êtes en lien avec un enfant Vertu Ombre

- Il vous envoûtera pour mieux vous dérober vos biens.

- Il vous empruntera de l'argent, mais il ne vous remboursera pas. Il aura toujours une excuse.

- Il vous racontera toutes sortes d'histoires pour parvenir à ses fins.

- Il sera infidèle. Il adore les expériences sexuelles. Il ne faut pas le laisser seul avec votre meilleur ami ou votre voisin!

- Il vous fera vivre un calvaire. Il jouera avec vos sentiments. Lorsque vous le menacerez de le quitter, il reviendra à la charge avec des mots mielleux. Il vous tendra un piège. Lorsqu'il vous aura convaincu de rester, il continuera comme avant.

- Il vous guettera. Il épiera vos moindres faits et gestes pour mieux vous attaquer par la suite.

- Il ne sera jamais satisfait de rien et il critiquera continuellement.

- Il n'aura jamais un bon mot à vous dire. Il peut vous lancer des jurons par la tête.

- Il parlera contre tout le monde. Il se surestimera en abaissant les autres.

- Il n'aime personne, sauf sa propre personne.

- Il sera paresseux et il laissera tout traîner derrière lui. Il s'attendra à ce que vous ramassiez à sa place.

- Il est souvent le déclencheur de batailles. Il peut facilement briser des relations. Il aime partir des histoires sans fondement. Par la suite, il s'en lave les mains.

- Il manque de franchise et d'honnêteté.

- Il sera un poison autant pour son entourage que pour la planète.

- Il sera athée et fera tout pour briser votre spiritualité.

Impacts d'un lien karmique négatif sur la santé des enfants Vertus

- Maux musculaires au niveau des jambes, des chevilles et des mollets

- Arthrite

- Diabète, cholestérol

- Problèmes avec les organes génitaux

- Problèmes avec la peau (ex. : démangeaisons cutanées)

- Incidents fâcheux qui causent des lésions sur le corps

- Fibromyalgie

- Problèmes d'estomac ou de digestion

- Maladies mentales (ex. : schizophrénie, dépression nerveuse)

Le Chœur des Principautés
(Niveau 3)

(Du 23 novembre au 31 décembre)

Principautés (Positif)

Lorsque l'enfant Principauté est dans la Lumière, il illumine une pièce par sa présence. Sa bonne humeur et sa joie de vivre sont contagieuses. On se plaît en sa présence. Il a toujours des histoires drôles à vous raconter. Il met de la vie dans un groupe. Il aime rire, chanter et danser. Si vous voulez que votre fête soit une réussite, il suffit de l'inviter. Vous passerez une magnifique soirée en sa compagnie. Il s'amusera avec vos convives et il les fera rire. Sa personnalité joviale attire vers lui de belles amitiés. Il est aimé de tous et l'on cherche toujours à lui apporter de l'aide. D'ailleurs, cet enfant Principauté est l'un des premiers à vous tirer d'ennuis et à vous apporter de l'aide quand vous criez au secours. Qu'importe l'heure, la journée, il sera toujours là pour vous épauler, vous réconforter et vous aider. Il possède un cœur magnanime. Sa dévotion est sans limites, ce qui fait de lui un être respecté et aimé de tous.

Il est intelligent, courageux et déterminé. Il sait ce qu'il veut et rien ne l'arrête. Il est une vraie boule d'énergie. Il bouge continuellement. Il est toujours à la recherche de réponses, de solutions et d'idées constructives pour lui et ses proches. Il pense à tout le monde et il apporte du soutien. Sa famille est très importante. Il voit son bien-être. Il se donnera au maximum pour la voir heureuse.

Il est très compréhensif vis-à-vis des problèmes des autres. Il ne juge personne. Vivre et laisser vivre est sa devise. Si vous avez besoin d'un conseil, il saura bien vous conseiller. Il analysera votre problème et il vous donnera les outils essentiels pour que vous puissiez régler votre problème rapidement. Il ira même parler en votre faveur, s'il le faut. Rien ne l'en empêchera ni le déstabilisera. Cet enfant Principauté, lorsqu'il prend un problème sous sa responsabilité, s'organise pour le régler. Il ne laisse rien en suspens. Il fait un excellent avocat puisqu'il défend bien ses causes. Il défendra également les causes de ses proches. Ceux-ci se sentiront protégés sous sa tutelle. Ils savent qu'il est toujours présent et qu'il est très dévoué à sa famille et à ses proches. Il irait même chercher la lune, si vous le lui demandiez!

Qualités qui le caractérisent :

○ Il possède un cœur magnanime.

○ Il adore faire du bénévolat pour venir en aide aux autres.

○ Il est franc, direct et loyal. Vous aurez toujours l'heure juste avec lui.

○ Fidèle à ses engagements, lorsqu'il vous fait une promesse, il va la tenir.

○ Courageux, déterminé et actif. Tout lui réussit bien.

○ Caractère puissant, il sait ce qu'il veut et ce qu'il ne veut pas. Il ne perd pas son temps avec les personnes ou les situations sans issue.

○ Il est patient et compréhensif face aux problèmes des autres. Il ne juge pas son prochain.

○ Il défend son entourage, parle en faveur des autres et il est un bon protecteur.

○ Intuitif, il ressent beaucoup l'énergie des gens. Lorsqu'une personne n'est pas honnête, il le ressent tout de suite.

○ Ses idées sont constructives et elles lui permettent de réaliser de grands projets et de les réussir.

- Il réussit bien sa vie. Il se contente de peu. Voir un sourire sur les lèvres de ses proches, c'est le plus beau cadeau. Il n'a pas besoin de plus!

- Il est un grand passionné, un grand romantique et un grand amoureux. Il aime gâter son partenaire et le câliner.

- Il excelle dans l'organisation d'une soirée, d'un projet ou autre.

- Il est intelligent. Il voit tout, il sait tout et il comprend tout. Il suffit de lui expliquer une fois et le tour est joué!

- Jovial, ricaneur et conteur de blagues, il adore faire rire son public.

- Sa chaleur conviviale fait de lui un être adorable, un Ange terrestre, on ne peut que l'aimer et le respecter.

Bienfaits qu'un lien karmique positif peut vous apporter lorsque vous êtes en lien avec un enfant Principauté Lumière

- Il vous donnera le courage de surmonter vos épreuves.

- Il vous fera rire avec ses blagues insensées.

- Il vous apportera du soutien lors de tâches difficiles. Il vous épaulera et s'il peut vous aider, il le fera.

- Il parlera en votre faveur. Il vous défendra lors d'un débat ou d'une situation problématique.

- Il vous sera fidèle. Il vous aimera passionnément et il cherchera toujours à vous rendre heureux. Il vous câlinera avec tendresse.

- Il vous fêtera et il organisera des fêtes en votre honneur. Il s'assurera que tout est parfait. Il veut vous voir satisfait de votre soirée.

- Vous aurez toujours des heures de plaisir en sa compagnie.

- Il trouvera toujours une solution à vos problèmes.

- Lorsqu'il vous prend sous sa protection, rien ni personne ne viendra vous causer du tort. Il agira comme un vaillant guerrier; toujours prêt à vous défendre et à vous protéger des personnes malveillantes.

○ Il sera toujours en mesure de vous tirer d'ennuis.

○ Sa jovialité rehaussera vos énergies.

○ Il vous invitera régulièrement à souper ou à prendre part à plusieurs activités. Il vous sortira de la maison!

○ Il est un bon confident. Il ne vous jugera pas. Il vous aidera à trouver un sens à votre vie. Ses conseils vous donneront l'envie de vous prendre en main et de retrouver votre équilibre.

○ Il vous encouragera tout le temps, ce qui fait de lui un bon chef d'équipe!

○ Si vous êtes malade, il prendra bien soin de vous. Il vous suivra partout pour qu'il ne vous arrive rien. Il s'assurera que vous écoutez sagement les recommandations de votre médecin.

Principautés (Négatif)

Un enfant Principauté sous l'influence de l'Ombre est un vrai charlatan. Il vous raconte des mensonges, et il y croit tellement qu'il ne sait plus dire la vérité. Lorsque vous l'abordez sur un sujet, il vous dira qu'il ne se souvient plus de rien, qu'il a une courte mémoire. Dans le fond, c'est qu'il ne se souvient pas du mensonge qu'il vous a raconté!

Il vous fait des promesses et il est incapable de les tenir. Il vous raconte toutes sortes d'histoires pour se libérer d'une situation, car il ne veut pas se donner la peine de l'accomplir. Il est égoïste et il ne respecte pas les besoins des autres. Il volerait sa propre famille pour avoir le luxe dont il raffole. Il cherchera la pitié des gens pour ensuite obtenir leurs faveurs. Il ne pense qu'à lui et à son bien-être. Il se pense le meilleur du monde. Il louange constamment sa vie, ses avoirs et sa force à qui veut bien l'entendre. Il n'aura pas un grand cercle d'amis, puisqu'il essaiera de les contrôler. Ainsi, les plus intelligents s'éloigneront rapidement de lui.

Il peut se détruire en ingurgitant une quantité énorme d'alcool, de drogues ou toutes autres substances qui, avec le temps, lui amèneront divers problèmes. Ensuite, il blâmera la société et ses proches pour tout ce qui lui arrive. Il est désagréable, il est antipathique et il critique continuellement.

Il vaudrait mieux s'en méfier et s'en éloigner, et ce, pour votre bien-être et votre santé mentale.

Faiblesses qui le caractérisent :

- Il se complaît à mentir aux autres et à lui-même.

- Il est le maître de l'irresponsabilité, et ce, dans plusieurs aspects de sa vie tels que l'argent, la vie amoureuse, le travail.

- Il est un dépendant affectif. Il ne s'unira pas par amour, mais par peur de rester seul. La solitude l'effraie et le rend malade.

- Il a un flagrant manque de confiance en lui et en les autres. Il perçoit le mal dans tout.

- Très bon manipulateur, il est jaloux et possessif. Toutefois, il se laisse dominer facilement, s'il éprouve des sentiments à l'égard d'une personne.

- Il pense que tout le monde lui doit tout. Donc, il exige tout en retour.

- Agressif avec ses gestes et ses paroles, on ne sait jamais à quoi s'attendre avec lui.

- Il est alcoolique ou buveur invétéré.

- Il est suicidaire et dépressif.

- Il a une mauvaise estime de lui-même.

- Il vit des problèmes de jeux; il cherche toujours à faire de l'argent facilement.

- Il ne pense jamais à l'avenir, il vit au jour le jour. Il dépense aujourd'hui et quête le lendemain!

- Peu croyant, il n'a aucune profondeur d'âme.

- Maître incontesté de l'infidélité, il court plusieurs lièvres à la fois!

- Il ne prend jamais le temps d'écouter ce que vous avez à dire. Il fait toujours à sa tête.

- Il est égoïste et vantard.

Situations néfastes qu'un lien karmique négatif peut vous apporter lorsque vous êtes en lien avec un enfant Principauté Ombre

- Par son infidélité et son besoin d'aventures sexuelles, il blessera plusieurs personnes à la fois, mais cela ne sera jamais de sa faute. Il blâmera son partenaire de l'avoir négligé.

- Il a la mèche courte et il s'enflamme facilement. Il ne se gênera pas pour vous invectiver de paroles méchantes et blessantes.

- Son attitude vous étouffera. Il dérangera également votre équilibre mental.

- Il vous écrasera et il ne se gênera pas pour rire de vous en public.

- Hypocrite, il vous dira ce que vous voulez entendre.

- Vous serez victime de ses mensonges. Il ne vous dira jamais la vérité.

- Il vous fera des crises de jalousie. Il vous empêchera de sortir et de vous amuser avec vos proches.

- Il vous soutirera de l'argent et il vous ne le remboursera pas. Il trouvera toujours des excuses pour ne pas vous payer.

- Il se plaindra continuellement.

- Il cherchera votre pitié pour mieux vous soutirer vos biens.

- Il dérangera votre quiétude. Il sera souvent le déclencheur de batailles et de chicanes.

- Vous aurez de la difficulté à lui faire entendre raison. Il est borné, têtu et il n'en fait qu'à sa tête!

- Il vous fera vivre un calvaire avec ses dépendances et sa froideur.

Impacts d'un lien karmique négatif sur la santé des enfants Principautés

- Problèmes de sinus (ex. : asthme, allergies de toutes sortes)

- Problèmes intestinaux

- Problèmes avec les poumons

- Bronchites à répétition

- Fibromyalgie

- Maladie grave qui doit être traitée médicalement

- Extinction de voix

- Problèmes avec le cuir chevelu

- Problèmes avec la glande thyroïde

- Problèmes cardiaques

Le Chœur des Archanges (Niveau 2)

(Du 1ᵉʳ janvier au 9 février)

Archanges (Positif)

Lorsque l'enfant Archange est dans la Lumière, il est un excellent orateur. Il a la parole facile et il sait toujours dire le bon mot au bon moment. Il est également un sauveur-né. Il est toujours en train d'aider son monde et de le tirer du pétrin. Il excelle dans toutes les professions qui exigent de prendre soin de son prochain ou de le tirer du danger. Il sera un excellent pompier, policier, ambulancier, avocat ou autre vocation qui vient en aide aux autres. Il a un sens aigu de la moralité. Il devient parfois missionnaire dans des pays en voie de développement. Il apporte l'espoir, mais il comble aussi les besoins primaires de ces populations décimées par la famine et les guerres. La souffrance des autres lui est intolérable. Il ressent le besoin viscéral de faire quelque chose d'important pour aider l'humanité et laisser sa marque.

Il est un bon guide et il vous dirigera vers les endroits où se trouvent vos solutions, vos rêves, vos projets et vos désirs. Il aime l'action; il suffit de lui parler d'un projet qu'il est déjà en train de vous trouver les meilleures méthodes pour que vous parveniez à le réaliser. Il est un grand innovateur qui permet à tous ceux qui le côtoient d'avancer, de construire, de bâtir et de réaliser. Cet enfant Archange sait ce qu'il veut et il s'organise pour l'obtenir. Sa vie est remplie d'action, de production et de création. Sa tête est remplie de mille et une idées aussi constructives les unes que les autres. Il est intelligent et rien ne lui échappe. Il possède un flair indéniable qui le conduit toujours au bon endroit au bon moment. Il aime la vie et la vie lui sourit bien. Sa plus grande richesse se trouve dans la bonté qu'il possède ainsi que dans la facilité qu'il a d'aider son prochain. Il défend sa famille qui lui est si chère à ses yeux et il la protège contre les dangers. Vous vous sentirez toujours protégé en sa présence. Cet être vous sera fidèle toute sa vie. Votre bonheur équivaut au sien!

Qualités qui le caractérisent :

○　Il est intelligent; rien ne lui échappe.

○　Orateur-né, il a la parole facile. Il fait un bon animateur.

○　Il adore aider son prochain (entraide, bénévolat).

○　Courageux, il possède une grande force de caractère qui lui permet de surmonter les pires épreuves de la vie.

○　Il trouve toujours une solution aux problèmes.

○　Il est fidèle à ses engagements. Il tient toujours ses promesses.

○　Il est honnête, jovial et intègre. On peut lui faire confiance.

○　Il est travaillant, il n'arrête jamais. Il excelle dans son domaine. Il n'est pas rare de le voir recevoir des certificats de mérite pour tous les exploits qu'il a accomplis.

○　Ponctuel, généreux de sa personne et de son temps, il est toujours là quand vous en avez besoin.

○　Il peut être convaincant lorsqu'il débat une cause qui lui tient à cœur.

○　Compagnon fidèle et aimable, il est également charmeur et très fier de sa personne.

○　Écologiste, il fera tout pour sauver la planète.

○　Sa joie et sa chaleur de vivre sont contagieuses. On ne peut que l'aimer!

Bienfaits qu'un lien karmique positif peut vous apporter lorsque vous êtes en lien avec un enfant Archange Lumière

- Il vous tirera continuellement du pétrin.

- Il vous protégera contre les personnes malintentionnées.

- Il défendra vos causes avec rigueur.

- Si vous êtes malade, il prendra bien soin de vous. Il vous soignera avec tendresse. Il fera tout son possible pour que vous puissiez recouvrer la santé rapidement.

- Il vous donnera l'énergie nécessaire pour vous prendre en main et réussir votre vie.

- Il vous aidera à mettre sur pied vos projets.

- Il vous encouragera et il vous appuiera dans vos démarches.

- Il ne vous abandonnera jamais. Il sera toujours là pour vous apporter de l'aide, et ce, dans tous les aspects de votre vie.

- Il prendra bien soin de vous et il verra à votre bien-être.

- Il sera un compagnon fidèle et attentionné à vos besoins. Son bonheur est de vous voir heureux.

- Il fera un excellent missionnaire. Il propagera la paix et la justice dans le monde. Il peut également devenir un excellent politicien.

- Il sera en mesure de faire fructifier toute affaire qui le passionne.

- Il vous permettra de vous trouver au bon moment au bon endroit avec les bonnes personnes.

- Il vous donnera des avertissements qui seront importants à écouter.

- Il rehaussera votre estime personnelle.

- Il rehaussera votre désir d'aider votre prochain.

- Vous aurez toujours de belles conversations enrichissantes avec lui.

- À chaque problème, il trouvera une solution.

- ○ Il fera un excellent parent qui aidera son enfant à se tailler une place parmi la société.

- ○ Il propagera l'entraide, le respect et l'amour, partout où il ira.

- ○ Sa bonne humeur et son entregent vous feront passer de belles soirées. Vous rirez en sa compagnie. Il saura vous faire oublier vos petits tracas de la journée!

Archanges (Négatif)

Un enfant Archange sous la gouverne de l'Ombre est imbibé de méchanceté. Il dit des propos acerbes. Il n'a jamais une bonne parole à dire des autres. Il juge continuellement son prochain et, s'il peut l'écraser, il le fera. Il cherche continuellement à montrer qu'il est le meilleur. Il est jaloux du bonheur des autres. Il parle dans le dos de tout le monde. Tous ont un problème sauf lui. Il est toujours sur la défensive lorsqu'on essaie de lui parler d'un sujet qui le concerne. Lorsqu'il est critiqué, il fait des crises à n'en plus finir. Souvent, ces crises dérangeront ses états d'âme. On ne sait jamais comment réagir devant un enfant Archange Ombre; une journée, il vous aime, et le lendemain, il vous déteste. Il sera souvent en déséquilibre avec ses émotions et ses états d'âme, ce qui l'amènera à prendre des médicaments pour contrôler ses sautes d'humeur.

Il aime qu'on le prenne en pitié. Donc, il jouera souvent le rôle de la victime. Il cherche l'attention en s'inventant des maladies de toutes sortes. Lorsqu'il rencontre quelqu'un, il est incapable de lui dire qu'il va bien. Il va commencer à lui révéler tous ses problèmes pour que cette personne puisse compatir avec lui. Il est malheureux et il ne fait rien pour s'en sortir. Il est évident que cette attitude le détruit petit à petit. À un point tel que la maladie viendra l'envahir. À ce moment-là, son attitude changera. Il fera tout pour s'en sortir. Ironiquement, il déteste la maladie et il a peur de mourir. Toutefois, tout au long de sa vie, il se plaindra de problèmes ici et là. Il s'imagine des problèmes. Néanmoins, lorsqu'il est véritablement atteint d'une maladie, il cherche tous les moyens possibles pour s'en libérer! Il n'est pas rare de le voir faire des dépressions à répétition. Son attitude négative ne l'aide guère et il a de la difficulté à remonter la pente par la suite. Plus il sera ancré dans sa négativité, plus il sera submergé par des problèmes psychologiques.

Il est un dépendant affectif, il vit continuellement dans l'insécurité. Il a donc de la difficulté à s'épanouir dans sa relation. Il a toujours peur que son partenaire le quitte. Cela lui causera des problèmes et entraînera des séparations qui lui seront toujours difficiles à surmonter. Cet enfant Archange craint tellement la solitude qu'il s'engagera souvent dans des relations incompatibles avec son désir ou il endurera une relation malsaine par peur de rester seul. Ce qui ne l'aidera pas psychologiquement ni émotionnellement.

Faiblesses qui le caractérisent :

- Détestable, égoïste, il ne veut rien partager ni rien donner. Tout a un prix à ses yeux.

- Il est voleur, vantard, jaloux, possessif et hypocrite.

- Il vit aux dépens des autres et il n'a aucun remords ni dignité.

- Il ne s'aime pas. Il est toujours en train de critiquer son corps et d'essayer de le changer.

- Il contrôle sa famille et il n'écoute pas ce qu'elle a à dire. À ses yeux, il est le seul à avoir raison, ce qui entraîne souvent des discordes avec les membres de sa famille.

- Il n'accepte pas les critiques. À ses yeux, il est parfait.

- Dépressif, il ne fait rien pour s'aider. Il aime jouer à la victime.

- Il consomme beaucoup. Il peut prendre des médicaments pour fuir la réalité. Il peut aussi consommer de l'alcool ou des drogues fortes.

- Joueur compulsif, il peut tout perdre à cause de sa dépendance au jeu.

- Réformiste, terroriste, bagarreur, il sème la guerre par ses paroles et ses gestes mesquins.

- Infidèle, il ne tient pas parole.

- Il parle souvent pour rien dire.

- Il manque de diplomatie et de franchise.

- Il est malhonnête et menteur.

- Il s'apitoie continuellement sur son sort.

Situations néfastes qu'un lien karmique négatif peut vous apporter lorsque vous êtes en lien avec un enfant Archange Ombre

- Il contrôlera votre vie.

- Il vous accusera de tout. Il peut même rejeter le blâme sur vous pour se libérer d'une situation problématique qui l'afflige.

- Il sera infidèle, mais il ne vous quittera pas, car il aime trop la sécurité financière.

- Il vous fera dépenser toutes vos économies sans aucun scrupule. Il peut même vous voler votre argent et vos biens. À ses yeux, vos biens lui appartiennent. Il peut même voler votre identité.

- Il sera exigeant envers vous. Rien ne le satisfera.

- Il se croit meilleur que vous. Il vous abaissera continuellement et il vous critiquera. À la longue, cela dérangera votre santé mentale.

- Il vous initiera aux drogues, à l'alcool et au jeu.

- Son insécurité vous étouffera et détruira votre relation. Il vous piquera souvent des crises de jalousie.

- Ses crises et son besoin de contrôler empoisonneront votre vie et votre quiétude.

- Il aura souvent des sautes d'humeur. Il est souvent en déséquilibre avec ses émotions. Une journée, il vous aime, et le lendemain, vous lui êtes indifférent.

- Vous serez obligé de le faire vivre, de subvenir à ses besoins.

- Il se disputera avec tous les membres de votre famille. Il exigera de vous de les abandonner et d'arrêter de les voir. Ainsi, il pourra mieux vous contrôler.

- Il vous lancera continuellement des jurons par la tête. Ce qui dérangera votre santé mentale.

- Il jouera avec votre mental. Il vous mettra toutes sortes d'idées dans la tête qui ne joueront pas en votre faveur. Il cherchera à vous influencer, et ce, à son avantage. Il agira ainsi pour mieux profiter de vous.

- Son attitude vindicative peut vous rendre malade. Elle peut également vous rendre agressif.

- Il est dangereux sous l'effet de la colère. Vous pourriez être sa victime. Lors de crises, éloignez-vous de lui; cela vous sera profitable.

Impacts d'un lien karmique négatif sur la santé des enfants Archanges

- Maux de tête

- Sinusites

- Problèmes de peau (acné, zona, eczéma)

- Dépressions répétitives avec tendances suicidaires, bipolarité, angoisses

- Fibromyalgie, arthrite

- Problèmes cardiaques

- Problèmes avec la circulation sanguine (phlébite, haute pression)

- Maux de gorge, bronchite, extinction de voix

- Insomnie

- Problèmes de concentration

- Problèmes avec les reins, la vessie, le foie ou le pancréas

Le Chœur des Anges
(Niveau 1)

(Du 10 février au 20 mars)

Anges (Positif)

Lorsque l'enfant Ange est dans la Lumière, il irradie une pièce par son rire chaleureux et sa bonté sans bornes. Sa Lumière est si intense qu'on ne peut pas passer à côté de lui sans ressentir une onde de chaleur. Il est rempli d'amour envers son entourage. Sa gentillesse fait de lui un être exemplaire. Il sait vous combler d'amour et de belles paroles. Il aime la vie et la vie lui sourit bien. Son dévouement envers son prochain est incommensurable. Tout ce qu'il possède, il vous le donnera. Vous voir sourire le rend heureux. Toutefois, sa grande générosité n'est pas à l'abri des profiteurs et il en est conscient.

Il est un ambassadeur de Lumière. Il n'aime pas la chicane, donc il fera tout pour vivre en paix et pour la propager en même temps. Il est un facilitateur. Il aidera son prochain en le dirigeant au bon endroit. Il lui donnera tous les renseignements pertinents pour l'aider à mieux réussir son plan de vie, ses projets, ses idées et même pour régler ses problèmes. Il est la lumière au bout du tunnel! Avec lui, il y a une solution à tout! Il vous aidera également à découvrir qui vous êtes vraiment et à vous accepter tel que vous êtes, avec vos forces et vos faiblesses. Il vous fera prendre conscience de votre potentiel et il vous aidera à l'utiliser à bon escient. Il possède une bonne écoute. Il ne vous jugera point. Ses conseils seront toujours bien appropriés aux problèmes que vous vivrez. Il saura vous sortir d'ennuis, si le besoin s'en fait sentir. Malgré sa grande sensibilité, il est doté d'une grande force morale. Il peut remuer ciel et terre pour aider ses proches et les tirer d'ennuis. Il vous encouragera à avancer vers vos buts et vos désirs. Il vous appuiera et il vous aidera afin que vous puissiez atteindre le bonheur.

Les membres de sa famille occupent une place importante dans sa vie. Il fera tout son possible pour les rendre heureux. Il s'en occupe précieusement. Il ne se gênera pas pour les câliner avec tendresse et amour. Ses paroles réconfortent et ses gestes guérissent. Lorsqu'un membre de sa famille trébuche, il est le premier à lui tendre la main pour qu'il se relève. L'enfant Ange fait un excellent psychologue, car il sait écouter et bien conseiller. Lorsque l'enfant Ange vous donne de son temps, il vous le donne corps et âme, sans vraiment rien demander en retour, sauf votre respect et votre appréciation. C'est tout ce qui compte pour lui.

L'enfant Ange peut devenir un grand messager de Lumière. Il sera en mesure de canaliser l'énergie divine et de transmettre ses messages à l'humanité entière. Tous ceux qui côtoieront cet enfant Ange seront ébahis par sa Lumière, sa bonté et sa foi envers les Anges. Cet enfant Ange aidera l'humanité en montrant aux gens ce que veulent dire les mots : « partage », « bonté », « générosité », « respect » et « amour ». Ce messager éveillera la conscience des gens et il les aidera à bien cheminer dans leur vie.

Qualités qui le caractérisent :

○ Intuitif, il voit tout et il ressent tout. Il possède un flair exemplaire! Il reçoit souvent des messages à travers ses rêves.

○ Il est très généreux de sa personne. Il possède un cœur magnanime. Il peut tout vous donner pour vous voir heureux.

○ Il sait se faire pardonner! Il est capable d'admettre ses erreurs. Il est en mesure de s'excuser, lorsqu'il commet une bêtise.

○ Il est un bon messager. Ses paroles sont réconfortantes et elles apaisent les âmes en détresse.

- Il possède un fort caractère. Il a la force et le courage de tout entreprendre et de tout réussir. Rien ne l'arrête lorsqu'il a une idée en tête!

- Il est visionnaire.

- Calme, doux et tendre, il est doté d'une grande sagesse, ce qui fait de lui un être remarquable.

- Joyeux, il est toujours de bonne humeur. Il est rempli de gaieté. Il aime rire et faire rire son monde.

- Il est un facilitateur qui vous permet de réussir votre plan de vie.

- Il est un très bon conseiller. Il ne juge personne et il veut le bien de tous.

- Il est très dévoué à sa famille. Il sera toujours là pour lui venir en aide et la rendre heureuse. Il se dévoue corps et âme pour ceux qu'il aime.

- Facile d'approche, on se plaît en sa compagnie.

- Il se débrouille bien. Il trouvera toujours les solutions à ses problèmes, sans l'aide des autres.

- Il aime la propreté. Il remarque tout!

- Très pacifique, il déteste les querelles et il aime la nature sous toutes ses formes.

- Très honnête, il n'aime pas les mensonges ni les hypocrites.

Bienfaits qu'un lien karmique positif peut vous apporter lorsque vous êtes en lien avec un enfant Ange Lumière

- Il éclairera votre route. Tel un phare, il guidera votre chemin pour vous remettre sur la bonne voie.

- Il vous couvrira de baisers et de tendresse. En tant que partenaire de vie, il vous sera très dévoué et fidèle. Il fera tout pour vous rendre heureux. Il sera facile à vivre.

○ Bon chef d'équipe, sa vivacité et son dynamisme vous permettront de réussir de grands projets d'envergure.

○ Sa douceur apportera un baume sur vos blessures.

○ Lors d'une maladie, il saura bien prendre soin de vous. Il vous réconfortera et il vous encouragera à ne pas lâcher prise et à vaincre la maladie.

○ Il illuminera votre vie. Il la parsèmera de bonheur, de joie, de rires et d'amour.

○ Il sera un très bon conseiller. Il veillera sur vous, lors de problèmes, et il trouvera des solutions avec vous.

○ Il nettoiera le négatif et chassera l'Ombre en vous.

○ Il réglera les disputes de toutes sortes.

○ Ses mots vous réconforteront et calmeront vos états d'âme.

○ Il vous aidera à atteindre vos rêves.

○ Il vous présentera des personnes importantes qui pourront vous aider à réaliser vos rêves et à atteindre vos objectifs.

○ Il vous nourrira de bonté, de joie, de partage, de générosité et d'amour.

○ Il vous montrera la vérité.

○ Il vous fera découvrir votre potentiel.

○ Vous aurez de belles conversations enrichissantes avec lui.

○ Il vous couvrira de mots gentils. Il rehaussera votre estime de soi.

○ Il vous encouragera et il vous félicitera.

○ Il animera vos soirées et les remplira de joie et de rires.

Anges (Négatif)

Un enfant Ange sous la gouverne de l'Ombre est hargneux dans ses paroles et ses gestes. Ses paroles sont blessantes et destructives. Elles peuvent démolir une personne assez rapidement. Il peut également écraser tout ce qui se trouve sur son passage. Il sèmera la zizanie entre son entourage et ses collègues de travail, et ce, sans remords. Il ne voit pas ce qu'il sème, car il est trop aveuglé par la colère. Lorsqu'il est en colère, il faut s'en méfier. Il devient imprévisible et dangereux. Il peut tout vous balancer par la tête.

Il n'a jamais de bons mots à dire sur les autres. Personne n'est meilleur que lui. Ses paroles seront acerbes et dépourvues d'émotions. Il est un vrai vampire d'énergie. Il est jaloux, possessif et il cherche à avoir le meilleur des deux mondes. Lorsqu'il est envahi par la négativité, il n'est pas beau à voir. Il est un vrai requin prêt à tout pour obtenir ce qu'il désire. Il est égoïste et il ne veut rien partager avec les autres, de peur que les autres possèdent plus que lui.

Il aimera raconter des histoires sans aucun fondement. Par la suite, il niera les propos diffamatoires qu'il aura prononcés. Il sera infidèle et incapable de tenir ses promesses. Il aura de la difficulté à dire la vérité. Il s'embrouillera à travers ses mensonges. Si vous lui en faites la remarque, il s'obstinera avec vous en vous disant qu'il ne vous a jamais dit telle ou telle parole. Il faut s'en méfier et ne pas lui dire aucun secret puisqu'il les divulguera, à sa façon, souvent en exagérant les propos.

Le bien-être de sa famille lui importe peu. Son amertume par rapport à la vie et ses dépendances feront vivre un calvaire à ses proches. S'il peut écraser un membre de sa famille, il le fera. Rien ne le dérange, rien ne l'atteint. Son désir de vengeance est très dangereux. Cet enfant Ange négatif est mesquin, il faut donc s'en méfier et s'éloigner de lui. Sinon, son attitude vindicative vous emportera dans un tourbillon d'émotions qui dérangera votre bien-être, et votre santé mentale en écopera.

L'enfant Ange négatif sera enclin à la consommation de drogues, d'alcool ou autres, et ce, de façon extrême. Toutes ses dépendances lui nuiront psychologiquement.

Faiblesses qui le caractérisent :

- Détestable, égoïste, paresseux, entêté et nonchalant, il vit dans sa bulle, dans son monde et il ne laisse entrer personne.

- Il critique tout le temps mais il n'accepte pas qu'on le critique. Il n'admet pas ses erreurs, il est rancunier.

- Gêné, passif, malhabile, il a toujours besoin d'aide pour se sortir du pétrin.

- Il sera fermé à toute croyance et il sera frustré de tout. Il est un éternel insatisfait.

- Il donne sans cesse des ordres et il veut vous voir à sa merci. Il a un sentiment de supériorité.

- Tout est à l'extrême avec lui : achats, boissons, jeux, etc.

- Instable, dépressif, mélancolique, il voit le négatif dans tout. Il juge les autres.

- Il a tendance à fuir la réalité et les responsabilités par l'alcool, les médicaments et les drogues.

- Il ne prend pas le temps d'être à l'écoute des autres. Il ne veut rien savoir. Lorsqu'on lui parle, il entend ce qu'il veut entendre.

- Il est très impulsif dans ses paroles et dans ses gestes.

- Il n'a pas beaucoup d'amis et il ne veut entretenir aucune relation qui lui demande de donner de son temps et de son énergie.

- Il se plaint continuellement et il ne fait rien pour améliorer sa vie.

- Égocentrique, il préfère faire à sa tête. Il ne fera rien pour plaire aux autres. S'il le fait, il le notera à chaque occasion!

- Il est irrespectueux envers les biens des autres.

Situations néfastes qu'un lien karmique négatif peut vous apporter lorsque vous êtes en lien avec un enfant Ange Ombre

- Il vous dépouillera de vos biens pour mieux s'enrichir.

- Il jouera avec vos sentiments pour obtenir ce qu'il désire. Si vous lui refusez votre aide, il vous fera des crises d'hystérie.

- Il parlera dans votre dos et il vous abaissera aux yeux de tous.

- La fidélité n'est pas une priorité dans sa vie. Il fera souvent souffrir son partenaire par ses écarts de conduite. Il sera également froid et distant avec son partenaire. Sans aucune chaleur humaine.

- Il vous lancera souvent des paroles acerbes et des jurons. Son amertume vous atteindra toujours.

- Il inventera des propos diffamatoires à votre sujet.

- Il vous étouffera par ses crises de jalousie.

- Il vous fera faire des dépenses onéreuses pour se gâter.

- Il vous écrasera et parlera contre vous pour obtenir un poste ou autre. Il n'a aucun scrupule lorsqu'il s'agit d'obtenir ce qu'il désire.

- Il brisera vos rêves sans hésitation.

- Il attirera vers vous des ennuis de toutes sortes, surtout avec la loi.

- Son énergie vous étouffera et elle vous rendra malade.

- Son alcoolisme, sa consommation de drogues et autres dépendances vous feront vivre un calvaire. Il peut vous voler votre argent pour se payer une dépendance.

- Il vous menacera de vous quitter ou de vous nuire, si vous ne faites pas à sa manière.

- Il vous impliquera souvent dans des discordes à n'en plus finir.

- Il vous racontera des mensonges pour se sortir de problèmes.

- Il ne sera pas honnête avec vous ni envers les membres de votre famille.

- Il fera de ses problèmes, vos problèmes.

Impacts d'un lien karmique négatif sur la santé des enfants Anges

- Anxiété, crises de panique, phobies, dépressions
- Arythmie cardiaque
- Problèmes avec le sang ou la circulation sanguine, diabète chronique
- Maux de jambes
- Problèmes avec les pieds
- Problèmes de poids, estomac fragile, digestion difficile
- Constipation
- Problèmes de peau (acné, eczéma, zona, démangeaisons cutanées)
- Migraines, maux de cou, maux de dos
- Toxicomanie et alcoolisme

CHAPITRE XII

Informations au sujet de votre arbre personnel

Qu'est-ce qu'un arbre personnel ?

Votre arbre personnel est une analyse des liens karmiques que vous partagez avec des êtres qui font partie de votre vie. Il met en lumière le type de relation que vous entretenez avec les gens de votre entourage. Votre arbre personnel **est une analyse en profondeur de vos relations**.

Votre arbre personnel se construit par des fiches comparatives. D'une part, votre fiche personnelle dresse un portrait de vous-même et, d'autre part, les fiches complémentaires servent à dresser un portrait des personnes avec qui vous entretenez des relations. **Votre fiche personnelle indique ce que vous apportez aux autres. Les fiches complémentaires indiquent ce que les autres vous apportent.** Votre arbre personnel n'est pas un remède à tous les maux, il se veut plutôt une prise de conscience quant à la nature des relations que vous entretenez avec les personnes qui vous entourent.

Quel est le but de l'arbre personnel ?

D'une part, il vous permet de connaître les raisons pour lesquelles certaines personnes occupent une place dans votre vie, et d'autre part, il vous aide à identifier les liens positifs et ceux négatifs. De plus, l'analyse de vos relations qu'il permet de faire vous aidera à mettre en lumière votre propre rôle sur la planète Terre. En travaillant avec l'arbre personnel, vous en arriverez à vous réjouir davantage de certaines relations et en profiter, ou à vous défaire de relations qui ne vous apportent que des problèmes, des ennuis et des souffrances physiques ou mentales. Il est certain qu'à travers cette analyse, vous vous questionnerez sur la nature de vos relations, mais j'ose espérer que cet outil ouvrira votre conscience et vous permettra de mettre un terme à une relation qui vous fait souffrir. Vous avez le choix de perpétuer tous les liens karmiques que vous entretenez, même s'ils sont néfastes, mais si vous cherchez le bonheur et l'épanouissement complet de votre être, pourquoi conserver un lien qui vous empêche d'y parvenir? C'est la réflexion que je vous invite à faire en analysant votre arbre personnel.

Informations essentielles pour bien concevoir votre arbre personnel

Il est important de mentionner que, dans le but d'alléger le processus, **seules les relations humaines devraient être prises en considération dans l'élaboration et l'analyse de l'arbre personnel.** Nous avons vu précédemment que vous pouvez avoir des liens karmiques avec vos Anges, vos animaux ou même un endroit particulier. En règle générale, de tels liens karmiques sont de nature positive et bénéfique pour vous. Il s'avère difficile de dresser la fiche d'une date karmique, des sens ou d'un lieu. Cet ouvrage s'en tient à l'analyse des relations entre les personnes. Toutefois, il est possible de le faire si vous le désirez. Vous devrez alors en tirer vos propres déductions.

Vous connaissez sans doute beaucoup de gens, mais vous devez considérer principalement les personnes avec qui vous interagissez le plus souvent, ou celles qui vous tiennent davantage à cœur.

Une fois que l'analyse de votre arbre sera terminée, vous prendrez conscience des liens karmiques qui vous unissent aux gens que vous côtoyez. Si vous remarquez que la plupart de vos liens vous apportent principalement du positif, vous pouvez en déduire que vous êtes bien entouré et que vous évoluez dans un environnement sain. Malgré les embûches que la vie peut mettre sur votre chemin, vous avez tout de même des bases et des appuis solides sur lesquels vous pouvez compter.

Toutefois, vous remarquerez peut-être qu'il y a une ou plusieurs relations qui ne vous apportent rien de bon. Il importe alors d'analyser davantage ces relations et, s'il le faut, de mettre un terme à ce qui pourrait entraver votre bien-être.

De plus, si vous désirez obtenir de l'information par rapport à la nature d'un lien qui existe entre deux personnes distinctes (autres que vous-même), faisant partie de votre famille d'âmes ou non, il est également possible de le faire. Il s'agit juste de remplir une fiche personnelle (au nom de la personne) ainsi qu'une fiche complémentaire (pour l'autre personne) et de les comparer.

Avis au lecteur

Veuillez noter que les propos émis dans ce livre sont des recommandations. S'il est mentionné dans le livre qu'il est préférable de mettre un terme à des liens négatifs ou des situations nuisibles, prenez en considération qu'il s'agit de suggestions seulement et que chaque cas est différent. L'utilisation de l'information transmise dans ce livre est de la responsabilité de chacun.

CHAPITRE XIII

Élaboration de votre arbre personnel

Avant de débuter votre arbre personnel, il est important d'être dans de bonnes énergies et de ne pas être dérangé. Assurez-vous aussi d'avoir lu le chapitre portant sur les particularités des individus appartenant aux familles angéliques à la page 147. Vous aurez également à le consulter tout au long du processus. Il vous faudra sans doute quelques semaines, voire des mois, avant que vous appreniez à déchiffrer complètement votre arbre personnel. Prenez le temps de bien faire votre analyse. Il vous sera plus facile ensuite de connaître la nature de vos relations.

Puisqu'une relation entre deux individus est immanquablement composée d'énergie et que ces énergies changent continuellement, nous suggérons de faire votre arbre personnel plus d'une fois dans votre vie. C'est une bonne idée de le faire sur une base régulière, par exemple, à chaque saison, une fois par année ou lorsque vous éprouvez des difficultés dans vos relations ou en ressentez le besoin.

Étapes pour réaliser votre arbre personnel

Étape 1 : Remplir votre « Fiche personnelle »

Premièrement, vous devez noter vos informations personnelles sur votre « Fiche personnelle » qui se trouve dans l'annexe à la fin du livre. Vous pouvez reproduire cette fiche ou la compléter sur une plus grande feuille si vous avez besoin de plus d'espace pour écrire ou si vous refaites régulièrement l'exercice. Vous écrivez la date à laquelle vous faites votre arbre personnel, votre nom ainsi que le Chœur Angélique auquel vous appartenez (précisez si, selon vous, vous êtes dans la Lumière ou dans l'Ombre). Pour connaître le Chœur Angélique auquel vous appartenez, vous pouvez vous référer au **Tableau I : Les neuf Chœurs Angéliques** à la page 229. Ensuite, vous devez indiquer les qualités ou les faiblesses qui vous caractérisent. Pour vous aider, consultez le chapitre portant sur les particularités des individus appartenant aux familles angéliques à la page 147. Il est important de noter les caractéristiques qui vous interpellent, au moment où vous faites votre arbre personnel, puisqu'elles représentent vos états d'âme actuels. Vous pouvez également noter vos propres observations concernant vos qualités ou vos faiblesses. Une fois que vous avez bien dressé le portrait de qui vous êtes, vous pouvez maintenant passer à la deuxième étape.

Étape 2 : Remplir les « Fiches complémentaires »

Deuxièmement, il s'agit de noter les informations au sujet d'une personne avec qui vous entretenez une relation sur la « Fiche complémentaire » qui se trouve également dans l'annexe à la fin du livre. Écrivez la date, le nom de la personne, le type de relation qui vous unit (familiale, amicale, affective ou professionnelle) et la nature du lien karmique (positive, négative ou ambiguë). Si vous n'êtes pas certain de la nature de la relation au moment où vous remplissez la fiche complémentaire d'une personne, indiquez qu'elle est ambiguë (ou incertaine). Pour vous aider à déterminer si le lien est négatif ou positif, déterminez si la personne est plus positive ou négative envers vous. Posez-vous la question suivante : « Est-ce que cette personne m'amène quelque chose de positif dans ma vie ou plutôt des ennuis? » La réponse à cette question vous dirigera probablement vers la détermination de la nature de la relation.

De plus, relisez les qualités et les faiblesses qui caractérisent cette personne dans son Chœur Angélique. Si une personne possède davantage de qualités que de défauts, il est fort probable que la relation soit plus positive que négative. De toute façon, au fur et à mesure que vous remplirez la fiche de l'individu en question, vous aurez une idée plus précise quant à la nature de votre relation.

Une fois que vous avez identifié la nature du lien karmique, dans la mesure où elle est positive (+) ou négative (—), vous pouvez automatiquement déduire si la personne fait partie de votre famille d'âmes ou non. En effet, si la relation est de nature positive, il y a de fortes chances qu'elle fasse partie de votre famille d'âmes puisque les relations que vous entretenez avec les membres de votre famille d'âmes sont toujours de nature positive. Ainsi, vous devez écrire le mot « oui » pour la famille d'âmes. Si le lien karmique est négatif, la personne ne fait probablement pas partie de votre famille d'âmes. En de rares cas, il se peut qu'une âme de votre famille d'âmes se soit laissé influencer par l'Ombre, et que le lien karmique qui vous unit soit temporairement devenu négatif, mais en raison de l'immense force vibratoire qui unit tous les membres d'une famille d'âmes, cette âme ne restera pas longtemps sous l'emprise de l'Ombre.

Ensuite, vous devez indiquer le Chœur Angélique auquel la personne appartient ainsi que son niveau, en prenant soin d'indiquer si elle est dans la Lumière ou dans l'Ombre. Si vous avez déterminé que votre lien karmique est de nature positive, cela veut dire que la personne est dans la Lumière puisque vous ne pourriez pas avoir une relation positive si la personne était dans l'Ombre, car l'Ombre n'amène que des ennuis. En général, les ennuis font partie d'un lien karmique négatif, et non positif. Pour connaître le Chœur Angélique auquel une personne appartient, il suffit de connaître sa date de naissance et de vous référer au **Tableau I : Les neuf Chœurs Angéliques** dans l'annexe à la fin du livre à la page 229.

Étape 3 : Analyse de votre relation

Troisièmement, vous devez noter les bienfaits qu'un lien karmique positif vous apporte, si vous êtes en lien avec une personne qui évolue dans la Lumière, ou vous devez noter les situations néfastes qu'un lien karmique négatif vous apporte, lorsque vous êtes en lien avec une personne qui est dans l'Ombre. Vous trouverez toutes les informations dont vous avez besoin dans le chapitre portant sur les particularités des individus appartenant aux familles angéliques à la page 147.

Sur votre fiche complémentaire, vous n'avez pas besoin de noter les qualités ou les faiblesses d'un individu. Ces informations servent avant tout de référence pour vous aider à déterminer si une personne est dans la Lumière ou dans l'Ombre, au moment où vous faites votre arbre personnel. Ce qui est important de noter sur votre fiche complémentaire, ce sont les bienfaits ou les situations négatives que vous apporte la personne. À l'aide des phrases que vous trouverez dans la section des bienfaits ou des situations néfastes d'un lien karmique, vous parviendrez à mieux comprendre les liens qui vous unissent à cette personne. De plus, n'oubliez pas qu'il vous est possible de noter vos propres observations qui serviront à expliquer davantage ce que la personne apporte dans votre vie.

Ensuite, dans la section « Commentaires », vous pouvez apporter des précisions quant à la relation que vous avez avec la personne ou y indiquer des particularités qui concernent la personne même. Vous pouvez également noter le type de personnes (son rôle dans la famille d'âmes), s'il y a lieu. Pour ce faire, référez-vous au chapitre portant sur les différents types d'individus que l'on retrouve généralement au sein d'une famille d'âmes à la page 25. Vous pouvez également émettre vos conclusions par rapport à la relation qui vous unit avec la personne.

CHAPITRE XIV

Exemples d'un arbre personnel

Fiche personnelle

Date : 3 octobre 2011

Votre nom : *Mlle A.*

Votre Chœur Angélique : *Chœur des Séraphins (Niveau 9) - Lumière*

Qualités ou faiblesses qui vous caractérisent :

J'ai du caractère. Je suis intelligente.

J'aime la vie. Je suis fidèle à mes engagements.

Je suis ponctuelle. J'aime apporter mon aide aux autres. Je fais tout mon possible pour les rendre heureux.

Je m'emporte facilement par la colère.

Je suis trop perfectionniste. Je suis exigeante envers les autres et moi-même.

À la suite de cette description, on peut déduire que cette personne est dans la Lumière. Premièrement, elle a beaucoup de points positifs dans sa personnalité. Deuxièmement, elle est consciente qu'elle possède des faiblesses. En étant consciente, elle pourra les régler.

Savez-vous que vos faiblesses font partie de votre plan de vie? C'est la raison principale pour laquelle vous avez un Ange en particulier. Il est là pour que vous puissiez prendre vos faiblesses et les transformer en forces. En étant conscient de vos faiblesses, vous devenez conscient de votre plan de vie et de ce que vous êtes venu apprendre et faire sur terre. Il n'en tiendra qu'à vous de faire les changements nécessaires lors de votre analyse.

Fiche personnelle   Date : 26 juin 2012

Votre nom : *Monsieur B.*

Votre Chœur Angélique : *Chœur des Chérubins (Niveau 8) - Lumière? Je ne sais pas!*

Qualités ou faiblesses qui vous caractérisent :

Je suis un éternel insatisfait.

J'aime avoir le dernier mot. Je ne plie pas facilement.

J'ai bon cœur. Je suis serviable.

J'essaie de tenir mes promesses.

Je suis travaillant.

Je suis jaloux du bonheur des autres.

Je ne fais qu'à ma tête!

Je suis souvent malade. J'ai mal partout.

J'ai de la difficulté à aimer. J'ai peur de me faire mal!

Il est évident qu'à la suite de cette analyse, Monsieur B. devrait travailler sur lui. Sa négativité l'emporte. Cela ne fait pas nécessairement de lui une mauvaise personne. Néanmoins, lorsqu'il ne va pas bien, son côté Ombre est plus fort que sa Lumière, ce qui pourrait déranger ses émotions.

Fiche complémentaire   Date : 27 octobre 2013

Nom de la personne : *Madame L.*

Type de relation : *Familiale*

Nature du lien karmique : *Positif*

Famille d'âmes : *Oui*

Chœur Angélique de la personne : *Chœur des Puissances (Niveau 5) - Lumière*

Ce que la personne apporte dans ma vie :

Elle trouve toujours de bonnes solutions pour régler mes problèmes. Elle m'apporte son soutien, son aide et de bons conseils. Elle prend toujours le temps de m'écouter et de me conseiller au mieux de ses connaissances.

Ses paroles sont réconfortantes. Elles m'apaisent et me calment. Lorsque je suis malade, elle sait bien prendre soin de moi. Elle s'inquiète toujours à mon sujet.

Elle s'intéresse à mon bonheur et elle m'encourage continuellement à persévérer. Elle m'apporte souvent mes petits plats préférés qu'elle prépare avec amour et cela me rend heureuse.

Elle est adorable et on ne peut que l'aimer. On se sent en sécurité auprès d'elle. Elle sait me réconforter, lorsque je suis fatiguée ou en peine.

Commentaires : *Elle est le **noyau familial** de sa famille d'âmes et terrestre.*

Fiche complémentaire

Date : 27 octobre 2013

Nom de la personne : *Madame F.*

Type de relation : *Familiale*

Nature du lien karmique : *Positif*

Famille d'âmes : *Oui*

Chœur Angélique de la personne : *Chœur des Principautés (Niveau 3) - Lumière.*

Ce que la personne apporte dans ma vie :

Elle est franche, directe et loyale. J'ai toujours l'heure juste avec elle. Elle trouve toujours une solution à mes problèmes. Elle me défend, elle parle en ma faveur. Elle me protège. Elle n'aime pas lorsqu'une personne ambitionne sur moi. Elle prend toujours ma part. Gare à ceux qui me blessent. Elle ne se gênera pas pour leur dire le fond de sa pensée.

Elle est intuitive. Elle ressent beaucoup l'énergie des gens. Lorsqu'une personne n'est pas honnête, elle le ressent tout de suite et elle me le dit immédiatement.

Elle me donne du courage pour surmonter les intempéries de la vie. Elle me fait rire jusqu'aux larmes avec ses blagues insensées. Je passe toujours du bon temps en sa compagnie. Elle m'apporte toujours son soutien lors de tâches difficiles. Elle m'épaule, et lorsqu'elle peut m'aider, elle le fait de son mieux.

Commentaires : *Elle est le **rayon de soleil**, le **rassembleur** et le **messager** de sa famille d'âmes et terrestre.*

Fiche complémentaire   Date : 27 octobre 2013

Nom de la personne : *Madame T.*

Type de relation : *Amicale*

Nature du lien karmique : *Positif*

Famille d'âmes : *Oui*

Chœur Angélique de la personne : *Chœur des Séraphins (Niveau 9) - Lumière*

Ce que la personne apporte dans ma vie :

Son amitié est sincère. Elle prend bien soin de moi et elle considère mon bien-être.

Elle m'encourage et m'appuie dans mes démarches. Elle est une bonne conseillère.

Ses paroles me sont toujours d'un très grand secours au moment opportun. Celles-ci m'aident à continuer ma mission de vie.

Elle est toujours là pour moi. Elle ne me refuse rien. Elle est toujours en train de m'aider et de voir au bon fonctionnement de mes affaires.

Elle me donne de l'énergie lorsque je suis fatiguée.

Fiche complémentaire

Date : 27 octobre 2013

Nom de la personne : *Monsieur S.*

Type de relation : *Amicale*

Nature du lien karmique : *Incertain*

Famille d'âmes : *Je ne pense pas*

Chœur Angélique de la personne : *Chœur des Vertus (Niveau 4) - Lumière : Incertain*

Ce que la personne apporte dans ma vie :

Je trouve qu'en sa présence, je ne me sens pas bien. J'ai souvent mal au cœur lorsqu'il est près de moi. À la suite de discussions, je suis toujours épuisée.

Il m'emprunte souvent de l'argent et il ne me le remet jamais. Il a toujours des excuses. J'ai de la difficulté à lui dire non.

Il est toujours en train de critiquer ce que je fais. Il n'a jamais un bon mot à dire. Malgré tout, il m'aide souvent.

Il parle contre les autres. Il est toujours insatisfait. Ça ne va jamais bien à son travail. Il raconte des histoires et il m'implique continuellement.

Commentaires : *Il draine mes énergies.*

Il est évident qu'à la suite de cette analyse, vous réaliserez que cette personne empoisonne votre vie. Il sera important d'analyser le lien karmique qui vous unit à elle. Lorsque vous le comprendrez bien, il vous sera beaucoup plus facile d'y mettre un terme. Il suffira de prier les Anges.

Toutefois, si vous êtes incapable de reconnaître votre lien ni de comprendre si ce lien est négatif ou positif, récitez la prière à la page 114 (Prière servant à mieux comprendre un lien karmique). Par la suite, demandez aux Anges de défaire ce lien karmique négatif. Il suffit de réciter la prière à cet effet à la page 115 (Prière pour demander à un Ange de défaire un lien karmique négatif).

Pour mieux analyser les liens avec les personnes de votre entourage, écrivez tous les détails pertinents de votre relation avec cette personne sur la fiche complémentaire. Je vous conseille de travailler une fiche à la fois. Lorsque vous aurez complété une fiche, demandez aux Anges de vous montrer le lien qui vous unit à cette personne. Demandez-leur quel est l'impact de cette relation dans votre vie quotidienne et sur votre santé mentale.

Les Anges vous montreront tous les détails pertinents concernant cette personne et son impact sur votre vie. Si cette relation est négative, il n'en tiendra qu'à vous de décider si vous y mettez un terme ou pas!

Le but de ces exercices est de vous montrer les personnes qui vous permettent d'évoluer, d'atteindre vos buts et de réussir votre plan de vie, et celles qui nuisent à votre évolution et à votre bien-être.

Le désir des Anges est que vous puissiez vivre dans l'harmonie et le bonheur. Ils vous offrent tous les outils essentiels à votre bonheur. Lorsqu'on est conscient de ce qui se passe dans notre vie, on est apte à tout régler et à éviter des ennuis de toutes sortes!

ONCLUSION

À travers ce livre, je souhaite vous avoir aidé à prendre conscience des liens qui vous unissent aux gens qui vous entourent et de la richesse des relations que vous entretenez avec les membres de votre famille d'âmes. Votre famille d'âmes est très importante pour votre développement spirituel, pour vous aider à être une meilleure personne, pour vous apporter de la joie et pour vous rendre heureux. Vous avez choisi votre famille d'âmes et elle vous a choisi en retour, et ce, afin que vous puissiez évoluer ensemble vers le chemin de la sagesse divine.

Je sais que les liens que nous entretenons ne sont pas toujours faciles à vivre, mais ils ont tous leur raison d'exister. Il n'en tient qu'à vous d'en tirer le maximum. Sachez que les Anges seront toujours là pour vous guider. Ils sèment l'amour partout où ils passent. Ils aident les gens à s'entraider afin qu'ils puissent un jour rejoindre les Plans Divins. Soyez à l'écoute des Anges, soyez à l'écoute de votre petite voix intérieure. Intégrez-les dans votre quotidien pour que vous puissiez ressentir le bonheur d'être en vie.

Que Dieu et les Anges vous enseignent le plaisir d'être en relation avec des gens que vous aimez, et ce, pour l'éternité.

Amicalement,

Joane

ANNEXES

ANNEXE I

TABLEAUX

TABLEAU I : LES NEUF CHŒURS ANGÉLIQUES

I. SÉRAPHINS METATRON	II. CHÉRUBINS RAZIEL	III. TRÔNES TSAPHKIEL
1. Vehuiah (du 21 au 25 mars)	9. Haziel (du 1er au 5 mai)	**17. Lauviah II (du 11 au 15 juin)**
2. Jeliel (du 26 au 30 mars)	**10. Aladiah (du 6 au 10 mai)**	18. Caliel (du 16 au 21 juin)
3. Sitaël (du 31 mars au 4 avril)	11. Lauviah I (du 11 au 15 mai)	19. Leuviah (du 22 au 26 juin)
4. Elemiah (du 5 au 9 avril)	12. Hahaiah (du 16 au 20 mai)	20. Pahaliah (du 27 juin au 1er juillet)
5. Mahasiah (du 10 au 14 avril)	13. Yezalel (du 21 au 25 mai)	21. Nelchaël (du 2 au 6 juillet)
6. Lelahel (du 15 au 20 avril)	14. Mebahel (du 26 au 31 mai)	22. Yeiayel (du 7 au 11 juillet)
7. Achaiah (du 21 au 25 avril)	15. Hariel (du 1er au 5 juin)	**23. Melahel (du 12 au 16 juillet)**
8. Cahetel (du 26 au 30 avril)	16. Hekamiah (du 6 au 10 juin)	24. Haheuiah (du 17 au 22 juillet)
IV. DOMINATIONS TSADKIEL	**V. PUISSANCES CAMAËL**	**VI. VERTUS RAPHAËL**
25. Nith-Haiah (du 23 au 27 juillet)	33. Yehuiah (du 3 au 7 septembre)	41. Hahahel (du 14 au 18 octobre)
26. Haaiah (du 28 juillet au 1er août)	34. Lehahiah (du 8 au 12 septembre)	42. Mikhaël (du 19 au 23 octobre)
27. Yerathel (du 2 au 6 août)	35. Chavakhiah (du 13 au 17 septembre)	43. Veuliah (du 24 au 28 octobre)
28. Seheiah (du 7 au 12 août)	36. Menadel (du 18 au 23 septembre)	44. Yelahiah (du 29 octobre au 2 novembre)
29. Reiyiel (du 13 au 17 août)	37. Aniel (du 24 au 28 septembre)	**45. Sealiah (du 3 au 7 novembre)**
30. Omaël (du 18 au 22 août)	38. Haamiah (du 29 septembre au 3 octobre)	46. Ariel (du 8 au 12 novembre)
31. Lecabel (du 23 au 28 août)	**39. Rehaël (du 4 au 8 octobre)**	47. Asaliah (du 13 au 17 novembre)
32. Vasariah (du 29 août au 2 septembre)	40. Ieiazel (du 9 au 13 octobre)	48. Mihaël (du 18 au 22 novembre)

VII. PRINCIPAUTÉS HANIEL	VIII. ARCHANGES MICHAËL	IX. ANGES GABRIEL
49. Vehuel (du 23 au 27 novembre)	57. Nemamiah (du 1er au 5 janvier)	65. Damabiah (du 10 au 14 février)
50. Daniel (du 28 novembre au 2 décembre)	**58. Yeialel (du 6 au 10 janvier)**	**66. Manakel (du 15 au 19 février)**
51. Hahasiah (du 3 au 7 décembre)	59. Harahel (du 11 au 15 janvier)	**67. Eyaël (du 20 au 24 février)**
52. Imamiah (du 8 au 12 décembre)	**60. Mitzraël (du 16 au 20 janvier)**	**68. Habuhiah (du 25 au 29 février)**
53. Nanaël (du 13 au 16 décembre)	61. Umabel (du 21 au 25 janvier)	69. Rochel (du 1er au 5 mars)
54. Nithaël (du 17 au 21 décembre)	62. Iah-Hel (du 26 au 30 janvier)	**70. Jabamiah (du 6 au 10 mars)**
55. Mebahiah (du 22 au 26 décembre)	**63. Anauël (du 31 janvier au 4 février)**	71. Haiaiel (du 11 au 15 mars)
56. Poyel (du 27 au 31 décembre)	64. Mehiel (du 5 au 9 février)	**72. Mumiah (du 16 au 20 mars)**

Note : Les Anges dont le nom se termine par « el » possèdent une vibration masculine, alors que ceux dont le nom se termine par « iah » possèdent une vibration féminine.

TABLEAU II :
LA SIGNIFICATION DES NOMS ANGÉLIQUES

N°	NOMS ANGÉLIQUES	SIGNIFICATION
1	VEHUIAH	Dieu élevé et exalté au-dessus de toutes choses
2	JELIEL	Dieu secourable
3	SITAËL	Dieu, espérance de toutes les créatures
4	ELEMIAH	Dieu caché
5	MAHASIAH	Dieu sauveur
6	LELAHEL	Dieu louable
7	ACHAIAH	Dieu bon et patient
8	CAHETEL	Dieu adorable
9	HAZIEL	Dieu miséricordieux
10	ALADIAH	Dieu propice
11	LAUVIAH I (LAUVUEL)	Dieu loué et exalté
12	HAHAIAH	Dieu refuge
13	YEZALEL	Dieu glorifié dans toute sa splendeur
14	MEBAHEL	Dieu très conservateur
15	HARIEL	Dieu créateur
16	HEKAMIAH	Dieu qui érige l'Univers
17	LAUVIAH II	Dieu admirable
18	CALIEL	Dieu prompt à secourir
19	LEUVIAH	Dieu qui secourt les pécheurs
20	PAHALIAH	Dieu rédempteur
21	NELCHAËL	Dieu seul et unique
22	YEIAYEL	La droite de Dieu
23	MELAHEL	Dieu qui délivre de tous les maux
24	HAHEUIAH	Dieu d'une extrême bonté
25	NITH-HAIAH	Dieu, source de sagesse
26	HAAIAH	Dieu caché
27	YERATHEL	Dieu qui punit les méchants
28	SEHEIAH	Dieu qui guérit les malades
29	REIYIEL	Dieu prompt à secourir
30	OMAËL	Dieu patient qui donne tout
31	LECABEL	Dieu inspirant
32	VASARIAH	Dieu juste
33	YEHUIAH	Dieu qui connaît toutes choses
34	LEHAHIAH	Dieu clément
35	CHAVAKHIAH	Dieu qui donne de la joie
36	MENADEL	Dieu adorable

N°	NOMS ANGÉLIQUES	SIGNIFICATION
37	ANIEL	Dieu des Vertus
38	HAAMIAH	Dieu, espérance de toutes les créatures de la Terre
39	REHAËL	Dieu qui reçoit les pécheurs
40	IEIAZEL	Dieu qui donne de la joie
41	HAHAHEL	Dieu en trois personnes
42	MIKHAËL	Semblable à Dieu, Vertu de Dieu, Maison de Dieu
43	VEULIAH	Dieu, roi dominateur
44	YELAHIAH	Dieu éternel
45	SEALIAH	Dieu, moteur de toutes choses
46	ARIEL	Dieu révélateur
47	ASALIAH	Dieu juste qui indique la vérité
48	MIHAËL	Dieu secourable
49	VEHUEL	Dieu grand et élevé
50	DANIEL	Dieu, signe des miséricordes
51	HAHASIAH	Dieu caché
52	IMAMIAH	Dieu élevé au-dessus de toutes choses
53	NANAËL	Dieu qui abaisse les orgueilleux
54	NITHAËL	Dieu, roi des Cieux
55	MEBAHIAH	Dieu éternel
56	POYEL	Dieu qui soutient l'Univers
57	NEMAMIAH	Dieu louable
58	YEIALEL	Dieu qui exauce toutes les générations
59	HARAHEL	Dieu qui connaît toutes choses
60	MITZRAËL	Dieu qui console les opprimés
61	UMABEL	Dieu au-dessus de toutes choses
62	IAH-HEL	Dieu, Être suprême
63	ANAUËL	Dieu infiniment bon
64	MEHIEL	Dieu qui vivifie toutes choses
65	DAMABIAH	Dieu, source de sagesse
66	MANAKEL	Dieu qui maintient et produit toutes choses
67	EYAËL (AYAËL)	Dieu, délice des enfants des hommes
68	HABUHIAH	Dieu qui donne avec libéralité
69	ROCHEL (RAHAËL)	Dieu qui voit tout
70	JABAMIAH (YABAMIAH)	Dieu qui produit toutes choses
71	HAIAIEL (MAIAIEL)	Dieu, maître de l'Univers
72	MUMIAH	Dieu, fin de toutes choses

ANNEXE II

FICHES PERSONNELLES

Fiche personnelle   Date : _____

Votre nom : _____

Votre Chœur Angélique : _____

Qualités ou faiblesses qui vous caractérisent : _____

_____

_____

_____

_____

_____

_____

_____

_____

_____

_____

_____

_____

_____

_____

_____

Fiche personnelle   Date : _____

Votre nom : _____

Votre Chœur Angélique : _____

Qualités ou faiblesses qui vous caractérisent : _____

_____

_____

_____

_____

_____

_____

_____

_____

_____

_____

_____

_____

_____

_____

_____

_____

ANNEXE III

LES FICHES COMPLÉMENTAIRES

Fiche complémentaire Date : _____

Nom de la personne : _____

Type de relation : _____

Nature du lien karmique : _____

Famille d'âmes : _____

Chœur Angélique de la personne : _____

Ce que la personne apporte dans ma vie : _____

_____

_____

_____

_____

_____

_____

Commentaires : _____

_____

_____

_____

_____

Fiche complémentaire   Date : _____

Nom de la personne : _____

Type de relation : _____

Nature du lien karmique : _____

Famille d'âmes : _____

Chœur Angélique de la personne : _____

Ce que la personne apporte dans ma vie : _____

_____

_____

_____

_____

_____

_____

Commentaires : _____

_____

_____

_____

_____

Fiche complémentaire   Date : _____

Nom de la personne : _____

Type de relation : _____

Nature du lien karmique : _____

Famille d'âmes : _____

Chœur Angélique de la personne : _____

Ce que la personne apporte dans ma vie : _____

_____

_____

_____

_____

_____

_____

_____

Commentaires : _____

_____

_____

_____

_____

À PROPOS DE L'AUTEURE

Joane Flansberry, native de la région de l'Outaouais, communique avec l'au-delà depuis sa tendre enfance. Elle pouvait voir et entendre les anges ou des êtres qui avaient quitté la terre pour aller vers l'autre demeure. Elle était l'intermédiaire entre leur monde et le nôtre. Dès son jeune âge, elle prenait plaisir à faire la lecture de cartes à ses amies. Par la suite, elle s'est rapidement retrouvée à prédire l'avenir aux mères, aux grand-mères, aux amies des amies, etc.

C'est ainsi qu'elle a cheminé en décidant d'offrir aux gens, désireux d'obtenir des réponses à leurs questions, des lectures de cartes afin de faire passer les messages qu'elle ressentait. Les cartes de tarot furent un bon outil pendant plusieurs années.

Toutefois, l'appel des anges est devenu de plus en plus fort. C'est la raison pour laquelle, en janvier 2003, elle a ouvert la boutique Le Jardin des Anges et des Archanges, à Gatineau. En plus d'être une boutique où elle vend des produits liés aux anges et à l'ésotérisme, cet endroit est également une place d'enseignement. Joane y offre des cours de tarot, des séances d'anges et, depuis quatre ans, des cours sur les Anges de la Lumière ainsi que des méditations de groupe. Elle enseigne avec passion les différents aspects qui composent les anges : des êtres charmants ayant une énergie extraordinaire, des guides d'amour qui nous aident à bien comprendre le sens réel de notre chemin de vie.

Joane canalise donc les Anges de la Lumière depuis quelques années déjà. Ils transmettent leurs messages d'amour aux humains à travers son corps et sa voix.

Depuis 2008, Joane Flansberry partage ses connaissances sur les Anges par le biais de livres qui connaissent tous un grand succès. Son premier livre, La Bible des Anges, s'en vendu jusqu'ici à plus de 100 000 exemplaires, tandis que son second ouvrage, Les Anges au Quotidien, s'est écoulé à plus de 50 000 copies. Elle parcoure également le Québec pour donner des conférences en plus de participer aux Salons du livre au Québec où les lecteurs font habituellement la file pour obtenir une dédicace et échanger avec elle.

Pour être tenu au courant de ses activités, nous invitons les lecteurs à visiter le site : www.lejardindesanges.com

MARQUIS

Québec, Canada

100%   PERMANENT   BIO GAZ
                       ÉNERGIE